O causo eu conto

JAIME SAUTCHUK

O causo eu conto

SOBRE BERNARDO ÉLIS
E O BRASIL CENTRAL

Bernardo, em aquarela de Amaury de Menezes,
e a casa onde ele nasceu e cresceu.

Foram muitas as pessoas que generosamente contribuíram com a realização desta obra. Agradeço a todas elas e menciono, com carinho especial, ***Cláudia Costa Saenger***, companheira incansável de todos os momentos dessa empreitada, desde o florir da ideia de escrevê-la.

1ª edição – Abril de 2018

Grafia atualizada segundo o Acordo Ortográfico da Língua Portuguesa
de 1990, que entrou em vigor no Brasil em 2009.

Editor e Publisher
Luiz Fernando Emediato

Diretora Editorial
Fernanda Emediato

Assistente Editorial
Adriana Carvalho

Capa, Projeto Gráfico e Diagramação
Alan Maia

Preparação
Sandra Dolinsky

Revisão
Hugo Almeida
Vinicius Tomazinho

DADOS INTERNACIONAIS DE CATALOGAÇÃO NA PUBLICAÇÃO (CIP)
(Câmara Brasileira do Livro, SP, Brasil)

S261c Sautchuk, Jaime
O causo eu conto: sobre Bernardo Élis e o Brasil Central
/ Jaime Sautchuk. - São Paulo : Geração Editorial, 2018.
180 p. ; 15,6cm x 23cm.

Inclui índice.
ISBN: 978-85-8130-401-4

1. Literatura brasileira. 2. Contos. I. Título.

CDD 869.8992301
2018-271 CDU 821.134.3(81)-34

Elaborado por Vagner Rodolfo da Silva - CRB-8/9410

Índices para catálogo sistemático

1. Literatura brasileira : Contos 869.8992301
2. Literatura brasileira : Contos 821.134.3(81)-34

GERAÇÃO EDITORIAL

Rua João Pereira, 81 – Lapa
CEP: 05074-070 – São Paulo – SP
Telefone: +55 11 3256-4444
E-mail: geracaoeditorial@geracaoeditorial.com.br
www.geracaoeditorial.com.br

Impresso no Brasil
Printed in Brazil

Índice

Apresentação

No início do século passado, a literatura brasileira entrou em certo marasmo, após ter vivido um longo período de glórias nos anos 1800, na poesia e na prosa. Foi uma crise em que até havia produção literária, e surgiram autores de grande valor, mas faltava algo mais forte, algum movimento que iluminasse as letras nacionais.

É certo que o Brasil como um todo vivia, de igual modo, um período de grandes incertezas nos mais diversos campos da atividade humana. A seu cenário político e econômico não chegavam as mudanças que se esperavam desde a Proclamação da República, em 1889. Isso se refletia no sentimento das pessoas e, por decorrência, na produção artística nacional.

A insatisfação popular pululava, e logo estouraram os conflitos, começando pela Guerra de Canudos, na Bahia

(1896-1897), que desafiou o poder central antes da virada do século. Uma dúzia de anos depois veio a Guerra do Contestado, em Santa Catarina, um conflito de grandes proporções no qual morreram perto de 20 mil pessoas em quase quatro anos de batalhas (1912-1916). Isso pra citar só dois exemplos.

Por coincidência, em ambos os embates, um dos pleitos dos revoltosos era a volta da monarquia, como que dizendo que as coisas haviam piorado. De norte a sul do país, era imensa a insatisfação com as desigualdades sociais, com o poder dos coronéis, que pareciam cada vez mais fortes e resistentes a qualquer tipo de modernização nas relações econômicas e sociais em seus redutos.

Estava ali, pois, o mote que a literatura buscava. E começaram a surgir, então, escritores que se voltavam aos sertões em busca de uma realidade nua e crua que precisava ser denunciada e combatida. Esse caráter regionalista ganhou vulto e trouxe ao mundo das artes nomes que figuram entre os grandes da nossa literatura de todos os tempos.

Esse movimento foi batizado de Modernismo e durou mais de meio século. Entre os escritores que se destacaram nessa vertente está aquele de cuja vida e obra trataremos neste livro. É uma história encantadora, que mostra a grandeza das pessoas, a beleza da produção literária e sua ligação com o ambiente em que vive quem escreve. São caminhos e descaminhos, com os altos e baixos de uma carreira que vale a pena conhecer.

Nosso autor percorreu esses trajetos, e eu preferi contar logo um aspecto que poderíamos tratar como uma angústia que o acompanhou por parte da vida. E, assim, daremos início a uma viagem que é muito bonita por seu conteúdo, pois percorre a história dessa arte e vasculha na vida do personagem fatos que deram substância à sua literatura.

No início de 1997, eu peguei um avião em Brasília com destino ao Rio de Janeiro e me sentei no lugar marcado. Logo em seguida, sentou-se ao meu lado meu vizinho de cadeira que eu de pronto identifiquei. Era Bernardo Élis, um escritor goiano de renome nacional, que eu admirava e cuja obra conhecia razoavelmente bem. Assunto pra conversa não faltaria, pois.

Tempos antes, ao realizar o documentário "Três histórias do campo", para a TV, eu havia usado o conto "A enxada", de sua autoria, pra retratar a agricultura arcaica. O vídeo era sobre assentamentos rurais promovidos pelo governo de Franco Montoro, em São Paulo. A história foi narrada pelo ator Saulo Laranjeira, de modo vigoroso, e, pelo que sei, seu autor havia gostado do resultado.

Mas, na viagem, conversa vai, conversa vem, lá pelas tantas eu perguntei se a ele, Bernardo, alguma coisa que havia feito na vida, até ali, lhe causava arrependimento. Ele franziu o rosto, passou as mãos nos cabelos, olhou-me com um ar meio solene e disse:

— Sim. Foi entrar para a Academia Brasileira de Letras.

Quando eu conto esse caso, muita gente não acredita. Inclusive sua viúva, a artista plástica e agropecuarista Maria Carmelita Fleury Curado, que mora na zona rural de Pirenópolis, em Goiás. E uma das razões dessa descrença é que o ingresso de Bernardo na Academia sempre foi colocado como um ponto de grande destaque em seu currículo.

Pra muitos que o rodeavam, ele não seria o que foi se não fosse o lado acadêmico. Com o andar da idade, porém, ele passou a se incomodar com esse realce dado a um aspecto de sua carreira que, em verdade, nada tinha a ver com seu ofício de escritor. O valor de sua arte estaria nela mesma, não no fato de ele pertencer a uma entidade.

Ademais, seu ingresso na ABL foi um processo tenso, dramático, até porque ele disputou a vaga com o ex-presidente da República Juscelino Kubitschek. E o derrotou em circunstâncias que envolviam aspectos políticos e econômicos, como veremos mais detidamente no capítulo 4 deste livro, intitulado "Magos da Academia".

O fato é que aquele evento, ocorrido em 1975, acompanhou Bernardo até seus últimos momentos como motivo de críticas que intimamente o incomodavam. Em toda sua carreira, aquela era uma das poucas nódoas, ou melhor, uma de suas poucas atitudes passíveis de condenação por razões de ordem ética. Enfim, foi um fardo que carregou.

No entanto, o fato demonstra bem a personalidade do escritor. A começar pelo começo. Ele gostava mesmo era da vida do interior, de preferência em sua cidade natal, Corumbá de Goiás, onde podia viver com pouco dinheiro, sem grandes pompas.

Foi ali, naquela antiga Cidade de Goiás, que ele nasceu, em 15 de novembro de 1915, com o nome de Bernardo Élis Fleury dos Campos Curado. E esteve ali pouco antes de morrer, em 30 de novembro de 1997, aos oitenta e dois anos. Deixou o nome como uma figura ilustre da histórica cidade.

Um nome popular, embora fosse de uma família tradicional das oligarquias goianas, cuja árvore genealógica, lá no cepo, tem até o bandeirante Bartolomeu Bueno da Silva Filho, o Anhanguera II. Este, como se sabe, foi o fundador de Goiás, na década de 1720.

Do ciclo do ouro daquelas bandas de Goiás, que durou um século, dos anos 1720 aos 1820, nada havia sobrado nos tempos de Bernardo. Como o ouro, também os índios da região já haviam sido praticamente dizimados. E os negros escravos foram ganhando alforria desde antes da Abolição, mas muitos, mais idosos, seguiam com as famílias que antes os aprisionavam. A decadência se instalava.

A família Fleury Curado, contudo, havia se apegado ao comércio, carreira militar e altos postos dos governos da província e do estado, antes e depois da Proclamação da República. Tinham comércio em outras partes do país, inclusive na Amazônia, onde compravam o látex e o exportavam ao mercado europeu.

Assim, foram se mantendo nos palácios até a Revolução de 1930, que levou Getúlio Vargas ao poder e enfraqueceu as oligarquias goianas. De qualquer modo, a família se manteve economicamente bem situada. Mas com o pai de Bernardo era diferente.

Essa estrutura social de sua época foi, em verdade, um dos temas mais explorados por Bernardo em sua literatura. Ele via com clareza a distinção de classes nos sertões goianos, uma realidade que retratou com maestria, pois ali perseverava uma injustiça quase medieval em pleno século XX.

O luxo e a ostentação dos enormes casarões ali ainda faziam o contrapondo aos casebres miseráveis. Carruagens luxuosas já não havia mais. Mas os fraques e gravatas de alguns diante dos pés descalços e chapéus de palha de muitos outros eram marcantes. Mesas fartas para os que se exibiam, mesas parcas para os que produziam.

Seu pai, Erico, e sua mãe, Marieta, tinham laços de parentesco anterior ao casamento. Afinal, eram comuns na região os enlaces entre gente de um mesmo clã, como forma de preservar a linhagem. No caso deles, a família Fleury Curado.

Seu pai não quis saber de gados e lavouras, mas rendeu-se ao comércio como forma de sobreviver, embora fosse um intelectual, poeta. Foi à bancarrota várias vezes em seus negócios, por causa de contas malfeitas e de proverbial falta de tino comercial.

A mãe também se vestia finamente e ostentava posição social, mas costurava pra fora pra poder pôr alguma comida em casa. Carne bovina, por exemplo, era uma iguaria rara naquele lar. Marieta tentava em vão se meter nas atividades do marido, mas este era soberano na loja comercial que tocava, ou fingia tocar.

Ele que abria e fechava o estabelecimento diariamente e atendia a todos os fregueses que nele entrassem. Isso, quando o humor lhe permitia. Era comum, contudo, seguir na leitura do jornal ou de algum folheto sem dar atenção ao possível comprador; ou simplesmente dizer que uma panela ou outro bem qualquer ali exposto já estava vendido, apenas pra aparentar um movimento que não existia.

Tampouco Bernardo e seu irmão mais velho podiam meter o bedelho nos negócios. Erico queria evitar que os filhos seguissem a sina de quase toda sua extensa família, de dezesseis irmãos, e virassem comerciantes, atividade que ele detestava. Deveriam ser funcionários públicos, professores, advogados, algo mais digno, enfim, em sua opinião.

É certo que, nas famílias do casal, ser funcionário público, por exemplo, era visto como atividade de pessoas imprestáveis. Viver da arte das letras, então, era difícil de explicar. Erico, em verdade, chegou a ser promotor público, embora não fosse advogado. Mas abandonou a carreira alegando a submissão da justiça aos poderosos.

Assim, vagavam Erico, Marieta e seus quatro filhos por entre as aparências hipócritas da aristocracia e uma vida de privações nas coisas mais comezinhas do cotidiano. Por sorte, porém, livros e os folhetos então muito comuns não faltavam em casa; nem os jornais que o avô assinava e que levavam vinte dias pra chegar do Rio de Janeiro. À noite, as leituras eram sob lampião a querosene.

Até para se contrapor ao estilo de vida que levavam, aos vinte e tantos anos de idade, Bernardo se filiou ao Partido Comunista do Brasil. Um escândalo. Mais um, aliás, pois seu pai também era ferrenho adepto de polêmicas, o que lhe granjeava muitas inimizades. Mordaz, irônico, em seus versos, ele satirizava sem dó nem piedade políticos e personalidades locais e nacionais.

Bernardo se dedicava a estudos e leituras, já que era impedido pelo pai de trabalhar. Seus primeiros estudos foram em casa, de modo a não se misturar com gente vulgar, nem gastar o escasso dinheiro. Esse era o pouco contato que mantinha com os pais, pois ambos eram recatados no convívio doméstico. Contatos corporais, carinhos, agrados e beijos? Nem pensar.

Daí, talvez, advenha seu jeito tímido, recatado, quase querendo se esconder de tudo. Mesmo em situações festivas, como as alegres folias goianas, ele sempre se destacou por não se destacar. Trajes simples, olhar meio lânguido, sovina nos sorrisos e abraços.

Um de seus amigos de infância era José Jacinto Pereira Veiga, que se tornou conhecido como José J. Veiga, também escritor de renome nacional, mas com forte projeção internacional. Menos de um quilômetro separava as casas dos dois nas ladeiras de Corumbá, e apenas nove meses separavam suas datas de nascimento, em 1915.

A diferença era que Veiga provinha de família pobre, plebeia, e Bernardo da nobreza oligárquica goiana, o que às vezes dificultava o relacionamento. De qualquer modo, eles conviveram na infância e também na adolescência, quando foram estudar na capital do estado, ambos interessados em literatura.

Na medida em que foi avançando no aprendizado, porém, Bernardo foi morar com os avós ali mesmo, na histórica Vila Boa, hoje Cidade de Goiás. Com a maioridade, o ímã das atividades o arrastou pra Goiânia, então ainda em construção.

Após a Revolução de 1930, o governador Pedro Ludovico Teixeira havia construído a nova capital, como forma de retirar a base das oligarquias locais. Na velha sede dos poderes estaduais, reinavam os Caiado, que foram atingidos pela revolução, mas também os Fleury Curado perderam espaços políticos.

Deste modo, Bernardo se via de novo em imbróglios. Fugia ele próprio das pressões familiares e apoiava o governo revolucionário. Mas posicionou-se contra o Estado Novo, a ditadura implantada por Vargas na segunda fase de seu regime. Apoiava movimentos contrários ao poder central, inclusive a luta armada liderada pelo camponês Zé Porfírio, nos municípios de Formoso e Trombas, nordeste do estado.

A essa altura dos acontecimentos, entretanto, ele já havia desanuviado a cabeça quanto aos caminhos a seguir em sua arte e em sua vida. O gosto pelas letras já se havia assentado, era só ajustá-lo à batalha pela sobrevivência.

Por pressões da família para que tivesse uma formação de futuro, ele cursou a faculdade de direito, mas convicto de que a profissão de advogado não seria muito sua praia. Era um gesto pra satisfazer aos anseios familiares, pra dizer que havia se aprumado na vida, digamos assim.

Teve duas passagens curtas pelo Rio de Janeiro, em meados de 1942, mas ali se achou isolado, meio perdido e doente, o que o fez voltar logo para a sua terra. Descobriu nessas viagens que a cidade grande não era lugar pra se viver, apesar de ter ficado encantado com as belezas naturais e a agitação cultural que lá encontrara.

Nesse período, conheceu o que de mais moderno se produzia na literatura mundial e, acima de tudo, fez contato com muitas pessoas que o ajudaram a quebrar barreiras em suas andanças. Criou linhas de comunicação com personalidades como Monteiro Lobato, Jorge Amado, Rachel de Queiroz, Zé Lins do Rego, Graciliano Ramos e outros escritores já consagrados nacionalmente. Para isso, também a filiação ao Partido Comunista foi de grande importância.

Quanto à literatura, desde cedo ele havia deixado em segundo plano o caminho da poesia, optando pela prosa, mais chegado ao conto que ao romance. Se formos classificá-lo pelo gênero literário, muito antes de poeta, romancista ou novelista, seremos mais fiéis à realidade se o chamarmos de contista.

Do ponto de vista de correntes literárias, sem dúvida, ele se alinhava ao Modernismo, o movimento que ganhava força no Brasil em seu tempo. Esse alinhamento se deu pelo fato de que essa corrente propunha um jeito mais direto, menos rebuscado de escrever e, por isso, em seu entender, aproximava a escrita da realidade.

Seu primeiro livro foi *Ermos e gerais*, de contos, publicado em 1944. Ele já beirava os trinta anos. Essa obra ganhou expressiva projeção nacional, entre outras razões, por ter sido alvo de críticas elogiosas de escritores de grande renome, como Monteiro Lobato, Mário de Andrade e Guimarães Rosa.

De toda forma, a primeira amostra dos escritos do novo autor que despontava gerou certo debate sobre seu conteúdo. O assunto foi levantado por alguns intelectuais comunistas de então, que se alinhavam ao chamado realismo socialista da antiga União Soviética.

Em tese, segundo esses camaradas dele, os contos ali contidos revelavam uma visão pequeno-burguesa de alguém que olhava o proletariado de cima pra baixo, com certo desdém, sem uma postura verdadeiramente revolucionária, enfim.

Esse debate o levou a fazer autocrítica, que se transformou em um ensaio denominado "Ermos e gerais — um passo atrás na literatura goiana". Essa peça chegou a ser publicada, embora de modo acanhado, restrito. Mas foi o livro, na versão original, que se tornou um clássico do conto brasileiro.

A visão negativa, de todo jeito, não o fez esmorecer. Pelo contrário, ele passou a andar mais pelos ermos, atrás de comunidades e moradas recônditas, de uma realidade forte, doída, pra denunciar. Ouvia histórias reais, lendas e fantasias e as burilava com seu linguajar refinado, erudito, mas ao mesmo tempo simples, popular.

Nessa fase da vida, ele já havia se casado com a poetisa Violeta Metran, com quem conviveu por cerca de trinta anos. Teve com ela três filhos homens, que perfazem toda a prole por ele deixada entre os viventes, apesar de ter se casado novamente.

Mas desde logo foi desovando outros livros que estavam na gaveta ou que ele produzia. Os primeiros foram em decorrência das andanças que resultaram do debate havido no interior do partido e traziam contos como "A enxada" e o romance *O tronco*. Eram retratos fortes da brutal desigualdade social reinante no Brasil Central.

Outras de suas obras vieram ao largo dos anos, no ritmo da indústria editorial brasileira, que, segundo ele, era lenta, vagarosa, trabalhosa até não mais poder. Foram romances, contos, mais contos e novelas... Dependia do fôlego, e este variava de acordo com a luta pela sobrevivência.

Novelas, como ele costumava dizer, eram apenas contos mais alongados — esta a única diferença. Assim, muitos estudiosos trocam as bolas, classificando de forma diferente algumas de suas obras. Todas, no fim das contas, eram apenas histórias (ou estórias) bem contadas, sem importar o tamanho.

Ao mesmo tempo, ele virou professor, começando pela Escola Técnica e por cursinhos preparatórios de vestibulandos. Mas logo ingressou na Universidade Federal de Goiás (UFG), onde criou o Centro de Estudos Brasileiros, e também lecionou literatura na Universidade Católica do Estado.

A vida ia muito bem, porque ele ganhava o dinheiro pro seu sustento e ainda sobrava tempo pra escrever. Mas, aí, veio o golpe de Estado de 1964, que implantou a ditadura militar no país. Ele chegou a ser preso, acusado de ser comunista. Foi solto logo, mas passou a ser visado e perdeu os empregos. Durante algum tempo, as aulas em cursinhos pré-vestibulares foram sua salvação.

Assim, voltou tudo ao começo. Dificuldades financeiras e o que disso decorre. Prosseguiu com a publicação de livros, de modo ainda mais esparso, mas com perseverança. Na ocasião, pensou em se suicidar — essa vontade virou quase obsessiva e o acompanhou pelo resto da vida, aliás, segundo seus próprios relatos confirmados por amigos.

Do ponto de vista financeiro, contudo, o que ele auferia com livros era muito pouco, quase nada pra sua sobrevivência. E os anos iam passando. Sua sorte, de novo, foi ter amigos influentes no mundo cultural dos grandes centros.

Em meados da década de 1970, surgiu em sua vida a Academia Brasileira de Letras. A sede da entidade era, como sempre foi, no Rio de Janeiro. Um mau começo, portanto. Mas ele precisava de alguma coisa que colocasse mais fortemente seu nome no cenário nacional. Esse seria o melhor caminho, pensava ele.

Foi ao Rio, e alguns amigos de peso iniciaram a campanha com vistas à seu ingresso na ABL. Entre esses aliados estavam Barbosa Lima Sobrinho, Aurélio Buarque de Holanda e o então presidente da entidade, Austregésilo de Athayde. Afinal, as eleições na agremiação envolvem injunções políticas e até econômicas, como foi o caso de que estamos tratando.

A vaga, na ocasião, também era pleiteada por Juscelino Kubitschek, que, após deixar a presidência da República, havia sido eleito senador por Goiás. Contudo, teve o mandato cassado pela ditadura, foi forçado a longos anos no exílio e, de volta ao solo tupiniquim, foi de novo perseguido, isolado, abafado. Precisava também da ABL, pois, como proteção.

O embate foi dramático. Por meio de amigos, JK chegou a pedir a Bernardo que desistisse da vaga, mas este, pressionado por outros amigos e por membros da ABL, não desistiu. E foi eleito. JK morreu menos de um ano depois, em 1976, em um nebuloso acidente de carro. Mas a marca da disputa havia ficado na consciência do escritor goiano, como veremos.

Ademais, as reuniões da entidade, no Rio, eram um suplício pra ele, que odiava aqueles deslocamentos. Daí, talvez, boa parte do arrependimento que me confessou nutrir a respeito da entidade, embora outras razões hoje se tornem claras.

De qualquer modo, na viagem a que me referi, ele estava indo ao Rio pra uma reunião da ABL. Quando morreu, por injunções diversas, foi sepultado no Mausoléu dos Imortais, no Rio, em um ato presenciado por um público minúsculo, de umas trinta pessoas.

O fato é que, ao comemorarmos os cem anos do nascimento do escritor Bernardo Élis, adveio baita vontade de contar um pouco de sua história e falar um pouco de sua obra literária. E, assim, nasceu a ideia deste livro, que você já está folheando.

Foram muitas as fontes, com entrevistas e pesquisas em diversos arquivos. Uma das fontes, porém, é um livro que o próprio Bernardo escreveu, contando parte significativa de sua vida. A história dessa obra é interessante. Giovanni Ricciardi, professor de literatura estrangeira e pesquisador da Universidade de Bari, na Itália, mandou um rol de perguntas a Bernardo pra que ele respondesse por escrito.

Ele respondeu às indagações de modo vago, sucinto demais, e o professor mandou tudo de volta, pedindo mais consistência. Aí, Bernardo fez o inverso e escreveu uma verdadeira autobiografia. Quando o resultado chegou a suas mãos, o professor sugeriu que o dossiê fosse transformado em livro, ideia que foi levada adiante, com a concordância do personagem central.

Ocorreu, porém, que Bernardo havia batizado o livro de *A vida são as obras*, mas, ao diagramar o volume, o editor achou o título muito vago e propôs uma mudança pequena, de apenas uma letra S a mais, mas de enorme significado. A proposta foi aceita e assim ficou: *A vida são as sobras*. As "sobras" são, entretanto, cheias de conteúdo e revelam muito da pessoa do autor, não apenas de seus escritos.

Em verdade, nosso personagem deu ali sua versão sobre fatos e até etapas inteiras de sua existência até então. Deixou, no entanto, muita coisa de fora ou minimizou acontecimentos de maior relevância. Nosso trabalho, contudo, foi muito além, desbravando os ermos e os gerais de uma vivência repleta de histórias e causos, o que nos ajuda a entender a evolução da literatura brasileira no século XX.

Vale a pena, pois, manter viva sua história e sua obra. Leia tudo, por favor.

Corumbá de Goiás em 1939 (acima) e hoje (abaixo).

Jaguatirica, lobo-guará,
seriema, veado-campeiro

Corumbá, gente e natureza

Corumbá, quando eu tinha cinco anos, era uma cidade muito atrasada, não havia calçamento nas ruas nem iluminação pública. Na casa do meu avô paterno é que havia um lampião a querosene. Não havia mercado e carne era um produto raro. Na casa de meu pai não havia gado. A gente comprava carne do matadouro da cidade. O matadouro funcionava de quinze em quinze dias, ou de mês em mês. Matava-se uma vaca e fazia-se um pregão. À noite, o camarada que matava a vaca chamava os meninos treinados e eles punham o chapéu na cabeça e saíam gritando: "Amanhã tem carne-seca muito boa na casa do Zé Rufino! O quilo custa tantos réis". Meu pai saía na janela, na escuridão, e perguntava: "Ei, menino, na casa de quem é?". O menino respondia: "Na casa do Zé Rufino". Encantado, pedi ao meu pai que ele me desse um chapéu para eu poder sair cantando pelas ruas. Meu pai disse que ia me dar o chapéu para eu anunciar a chegada de carne na cidade. Minha vocação era para ser pregoeiro. **(Bernardo Élis)**[1]

Os cenários humanos e naturais da cidade de Corumbá de Goiás e suas cercanias são a matéria-prima básica dos escritos de Bernardo Élis. Sua ligação com a vida por aquelas paragens, no campo ou nas áreas urbanas, vai muito além do contemplativo e do descritivo, transpõe as fronteiras do palpável e atinge um ambiente verdadeiramente cerratense, de grande profundidade.

Quando Bernardo nasceu, em 1915, já havia bem um século que o ouro dos rios e barrancas da região havia se exaurido por completo. O ciclo aurífero iniciado com a bandeira de Bartolomeu Bueno da Silva Filho, o Anhanguera II, na década de 1720, havia deixado um rastro de riqueza e opulência e duras marcas de agressão ao meio ambiente.

A garimpagem começava nos cursos d'água e avançava nas barrancas, muitas vezes formando enormes crateras, com desvio do próprio leito de córregos, ribeirões e rios. Mas, de qualquer modo, na região havia ficado muita natureza intocada, em convívio com uma sociedade que seguia em frente, sem mais depender do ouro, mas apegada à agropecuária, ao comércio, ao artesanato e aos serviços.

De fato, desde o século XVII, aventureiros e missões jesuíticas percorreram a região, principalmente à caça de índios. Na medida em que as populações indígenas iam escasseando no litoral, mão de obra escrava tinha que ser buscada nos sertões do Planalto Central ou trazida da África. Já de 1590 a 1593, a expedição de Antônio Macedo e Domingos Luís Grou percorreu vastas extensões do que viria a ser Goiás, mas restringiu-se à parte leste do rio Tocantins.

As fisionomias e mentalidades dos seres humanos que por ali habitavam haviam migrado do indígena nativo que fora escravizado, segregado ou morto por mais de dois séculos para uma sociedade plural em muitos aspectos. Uma mistura do próprio índio com o colonizador europeu, seus descendentes tropicais e escravos negros vindos da África.

Os primeiros habitantes da região do cerrado, claro, foram os índios. No caso, as etnias macro-jê e aruak, diferentes das existentes no litoral brasileiro, a maior das quais era a tupi, a cujo tronco linguístico pertencia também a guarani. Ocorre, contudo, que o colonizador levou com ele contingentes de tupis, que acabaram se estabelecendo no Brasil Central.

Segundo o antropólogo e arqueólogo Altair Sales Barbosa[2], "os indígenas brasileiros são classificados pela utilização de padrões linguísticos". A maior categoria dessa classificação é o Tronco, que se subdivide em Famílias, e estas se ramificam em Línguas.

No tempo de Bernardo, não se conheciam com profundidade todos os povos indígenas que haviam habitado e ainda habitavam a região — aliás, nem nos dias atuais se conhece tudo em profundidade. No entanto, durante sua vida, ele se aprofundou nesses estudos e optou por aprender a língua tupi, o que facilitou sua compreensão do linguajar usado pela gente da terra, especialmente na toponímia regional.

Ao se referir à história socioeconômica da região, após o Ciclo do Ouro, Bernardo escreveu:[3]

> Algumas povoações resistiram, como Pirenópolis, Goiás, Corumbá, cujos habitantes se entregaram à lavoura de subsistência e à criação de gado. Para isso foi preciso despovoar os campos dos indígenas bravios, confinando-os em aldeamentos, onde lhes era ministrado o ensinamento de métodos de trabalho e da religião católica. Sobretudo se lhes ensinava como extinguir-se.

O fato é que, ao aprender a língua, ele se assegurou da compreensão dos significados dos nomes dos lugares que percorria ou sobre os quais ouvia falar. Serras, morros, chapadas, córregos, rios, lagos e lagoas tinham, no mais das vezes, nomes dados pelos ancestrais indígenas, e saber o que eles queriam dizer seria de grande valia a um escritor.

O colonizador, especialmente aquele que partiu de São Paulo, levou à região central do país a língua geral, então de largo uso em outras partes do território português que hoje é o Brasil. Era, em verdade, o lusitano adaptado ao tupi e outros falares do indígena de cada região, que influenciou também na formação do vocabulário do Planalto Central e dos vales dos rios Araguaia e Tocantins.

É certo que ele já levava em conta o fato de que não são tão grandes as diferenças entre os idiomas indígenas. *Grosso modo*, são distâncias equivalentes às que para nós, brasileiros, existem entre o português, o espanhol e outras línguas originárias do latim. De todo jeito, o tupi seria uma espécie de língua-mãe, a mais brasílica de todas, segundo alguns filólogos, como Antônio Houaiss.

O fato é que, depois, vieram os brancos portugueses — os tupiniquins — e os negros trazidos da África por comerciantes ou pela Corte portuguesa. Os brancos chegaram inicialmente com as expedições ao interior do país, chamadas de "bandeiras" ou "entradas", de acordo com sua forma de organização.

As primeiras tinham ajustes contratuais com a Corte, enquanto as outras eram totalmente privadas. Uma parte das trupes desses viajantes acabava ficando por ali. E, com os anos, a farta distribuição de terras das sesmarias levou gente de todo canto a criar fazendas ou tentar enricar com ouro e pedras preciosas.

A maioria dos brancos que chegavam era homens solteiros, que muitas vezes se acasalavam com índias. O mesmo ocorria com os escravos negros, homens e mulheres, que tantas vezes também levavam o contato com índios e índias para o lado do amor, do sexo e da vida em comum. E, assim, surgiam crianças diferentes.

A mistura dessas três etnias básicas gerou, ao longo dos séculos, esse humano dos cerrados do Planalto Central do Brasil. É gente de pele marrom, de coloração diversa das outras. Nem tão avermelhada quanto a do índio, nem tão escura quanto a do negro, nem tão clara quanto a do português. É a cor do cerratense, a gente do cerrado. E a língua seguiu caminho idêntico.

Nesse processo, em um curto espaço de tempo, brotaram também classes humanas diferenciadas por seu papel na

Estátua do bandeirante Bartolomeu Bueno da Silva Filho, o Anhanguera II, fundador de Goiás, na esquina da avenida Anhanguera com rua Goiás, área central da cidade.

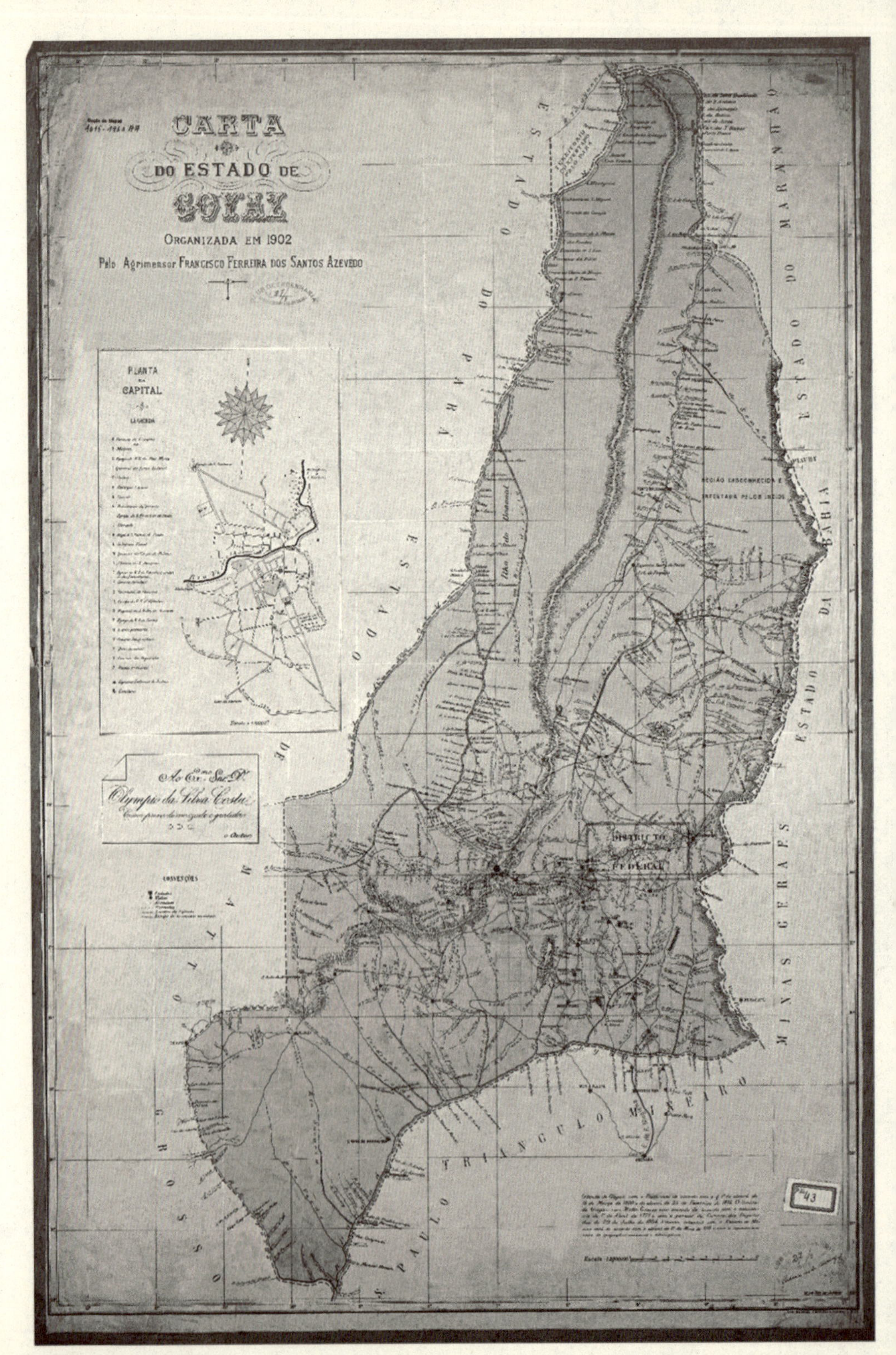

ARPDF/Documentos Goyaz

economia — uns controlando os meios de produção, outros pra eles trabalhando; ou buscando refúgios em nesgas de chão e em serviços na área urbana, que incluíam biscates de rua e empregos domésticos.

Anos dourados

O arraial Nossa Senhora da Penha de França de Corumbá, primeiro nome da cidade, nasceu um ano antes do surgimento do julgado de Meia Ponte (hoje Pirenópolis). Este foi fundado em 1731, por aventureiros vindos do norte de Portugal, após a descoberta de ouro pelo bandeirante Manuel Rodrigues Tomar, que havia saído de São Paulo com a expedição de Anhanguera, conforme nos relata o historiador Luis Palacín.[4]

De todo modo, Corumbá fez parte da primeira leva de aglomerados que formaram as Minas dos Goyazes, como a capitania de Goiás era chamada no primeiro século de sua ocupação pelo colonizador. Desde quando a região ainda fazia parte de São Paulo, portanto. Lembrando apenas que as unidades do que veio a ser a federação brasileira eram chamadas de "capitanias" na Colônia, de "províncias" no Império e de "estados" na República. A primeira dessas aglomerações foi o arraial de Sant'Anna, localizado próximo às nascentes do rio Vermelho, junto à serra Dourada, depois batizada de Vila Boa da Santíssima Trindade (hoje Cidade de Goiás). A coloração amarelada, roseada, que faz aqueles morros merecedores do nome, sempre inspirou garimpeiros, poetas e prosadores, como Bernardo.

Uma década depois, o arraial de Vila Boa virou julgado (município) e foi transformado em capital da província, situação em que permaneceu até o início da construção de

Goiânia, em 1933. Há, no entanto, muitos indícios de que os locais daqueles novos arraiais já eram palco de garimpagem desde bem antes, talvez ainda no século anterior, mas, com certeza, desde 1711.

As notícias de fácil acesso a quem partisse de São Paulo, Rio de Janeiro, Bahia e Pará e as lendas sobre a existência de grandes depósitos auríferos por ali (o Eldorado) motivavam aventureiros e religiosos. Muitos se embrenhavam por terra, mas também a confluência das bacias dos rios São Francisco, Araguaia/Tocantins e Paraná/Prata facilitava o acesso desses viajantes por água. Todos, porém, de passagem, sem projetos de ocupação permanente da região.

Esse não foi, entretanto, o caso de Anhanguera II, que fez duas viagens pra abrir garimpos e criar as primeiras vilas, muitas das quais vingaram e existem até os nossos dias. Ele era brasileiro, nascido em Santana do Parnaíba, São Paulo, em 1672. Já tinha quase setenta anos, portanto, quando iniciou sua derradeira jornada pelo Planalto Central.

Era filho (mas de temperamento bem diferente) do também bandeirante Bartolomeu Bueno da Silva, o Anhanguera, que havia desbravado o vale do rio São Francisco e boa parte de Minas Gerais. O pai ficou conhecido por "cuspir fogo" e pela truculência com que tratava índios e subalternos em suas andanças.

No dia 14 de fevereiro de 1721, chegou de Lisboa o navio que trazia a autorização do rei de Portugal para que Anhanguera II, mais João Leite da Silva Ortiz e Domingos Rodrigues do Prado iniciassem uma grande expedição no sentido oeste dos domínios portugueses. Comandavam centenas de homens e uma enorme tropa de animais.

Esses limites haviam sido fixados pelo Tratado de Tordesilhas, assinado em 1494 pelas Coroas portuguesa e espanhola. Fixava uma linha imaginária que hoje cortaria o Brasil de norte a sul pelas cidades de Belém, no Pará, e Laguna, em Santa Catarina. Passaria a setenta e dois quilômetros a oeste de onde agora está a Praça dos Três Poderes, em Brasília, e o dobro disso de Corumbá. Há hoje, na cidade, um marco relativo a esse fato.

Sob o comando de Anhanguera II, os três viajantes se dispunham a arcar com os custos da expedição, para obter vantagens futuras. De modo claro, no papel, desde logo obteriam lucro com a cobrança de uma taxa pela travessia de rios que estivessem em sua área de ação e que demandassem o uso de balsas. Era um pedágio, digamos.

Mas, é claro, também previam altos ganhos com a exploração e transporte de ouro e pedras preciosas, em especial na cobrança do quinto do ouro, os 20% de cada grama extraído que ficavam com a Coroa. Nunca se saberá ao certo quanto ouro foi retirado dali, pois boa parte saía contrabandeada. Às vezes, com a conivência de funcionários de contendas, mas principalmente por estradas vicinais, que desviavam das barreiras alfandegárias.

Assim, no mês seguinte, com o beneplácito do rei, eles três e seu numeroso séquito partiram rumo aos sertões da colônia. Contudo, desajustes no sistema de consórcio que era formado — com cotas para cada viajante — e falhas na disciplina, com muitas escaramuças e mortes, fizeram a expedição voltar a São Paulo três anos depois. Mas isso só em outubro de 1725, após terem sido demarcados muitos córregos auríferos e muitos veios em barrancas.

O retorno a São Paulo não significava, entretanto, o abandono da empreitada. Era apenas a melhor maneira que encontraram pra reorganizar a expedição e recomeçar. Desse jeito, com o mesmo comando, mas com contingente renovado, a expedição partiu novamente no início do ano seguinte, começando a colonização definitiva de Goiás.

O primeiro destino foi o sítio de Sant'Anna (depois Vila Boa), onde a existência de ouro estava mais que confirmada, e ali foram abertos vários pontos de exploração. Todavia, muitos grupos foram formados pra abrir novas áreas de garimpagem, além de arregimentar índios em toda a região.

Tudo ficava sob a supervisão de um "intendente de minas" (espécie de governador), o olho do rei já então enviado pela Coroa. Assim, foram sendo criados os outros arraiais, e houve o estouro na exploração aurífera. O de Corumbá foi aberto em 1730.

Cerca de oitenta anos depois, segundo estatística de 1804[3], a província de Goiás continha catorze julgados (equivalentes aos municípios de hoje), com quarenta arraiais (distritos). Os maiores julgados eram o de Vila Boa, a capital, e o de Traíras, que tinham nove arraiais cada.

O arraial de Corumbá, no entanto, ficava subordinado ao julgado de Meia Ponte (Pirenópolis), que contava também com o de Córrego do Jaraguá. Mas, nesse ano, já era acentuado o declínio na produção de ouro em todos aqueles rincões goianos.

O comer, o trajar, o falar

De todo modo, a essa altura, os locais onde o ouro havia sido pródigo ainda ostentavam opulência, a começar pela estrutura urbana. Eram ruas, largos, praças, coretos, casarões com sobrados, igrejas e prédios públicos. As edificações eram as mesmas em 1915, quando Bernardo Élis nasceu, em Corumbá de Goiás.

Também nos hábitos e costumes, era visível nas elites locais um requinte que buscava se igualar ao padrão das grandes cidades brasileiras e europeias, conforme atestam a própria arquitetura de interiores das habitações e utensílios guardados como patrimônio histórico, além de muitos escritos deixados por moradores.

As populações tradicionais, desde a indígena, mantinham na região o hábito da coleta de alimentos de origem vegetal, como frutos, folhas, sementes e palmitos. O próprio índio já fazia pequenas roças destinadas ao plantio de algumas espécies de maior uso. Também a caça de animais silvestres era prática costumeira. Além da carne, consumiam miúdos e gorduras. Da mesma forma, as peles e penas eram de grande serventia no vestuário e em bens de uso doméstico.

Nem se fala da grande variedade e quantidade de peixes e tartarugas apanhadas nos cursos d'água, lagoas e lagos, tampouco da coleta de ovos, alimento de grande uso, e do mel, que é precursor do açúcar. O arqueólogo Altair Sales Barbosa[2] lembra que, desde tempos mais remotos, "seus elementos básicos conferem ao sistema biogeográfico dos cerrados um alto grau de diversificação de recursos, tanto vegetais como animais".

Isso, contudo, tinha grande serventia a essas populações e aos trabalhadores, inclusive escravos, que chegavam com os exploradores. As elites surgidas da opulência aurífera, no entanto, desdenhavam essas práticas tradicionais, embora também usufruíssem da fauna, da flora, da terra e da água.

Isso, a ponto de colocarem em risco a existência de espécies de carnes mais saborosas, como a do veado, da paca e do quati; e de alguns pássaros mais robustos, a começar pela ema, o maior deles; e peixes variados.

Civilização do milho

Contudo, os trajes, a culinária e os perfumes seguiam a mesma linha da ostentação imitatória. Na culinária regional, o historiador Paulo Bertran defende ter havido ali mais influência da cozinha portuguesa que da cozinha do índio e do negro. Isso, apesar de nessa região da Colônia haver se firmado uma "civilização do milho", um grão sabidamente americano, nativo, já conhecido pelo indígena.

Citando fontes portuguesas, o estudioso explica que, de fato, o milho levado daqui chegou ainda nos anos 1500 às regiões de Douro e Minho, no norte de Portugal, onde rapidamente suplantou as tradicionais culturas de cevada e aveia. Ele completa:

> Uma civilização do milho, importada e amalgamada na Lusitânia e então reexportada para o Brasil junto com o português colonial nortenho, vindo para as minas brasileiras no século XVIII é aqui novamente readaptada, ou mais provavelmente reencontrada e aglutinada na cozinha e na alcova do glutão lusitano pelas matriarcas paulistas com as quais usualmente se casavam. O índio conhecia o milho, mas não suas consequências alimentares proteicas.

Nas grandes fazendas ou nas pequenas propriedades, lembra Bertran, um tripé formado por milho, mandioca e abóbora se tornou a base de toda a alimentação, animal e humana. Os três juntos criavam o suíno, que fornecia carne, toucinho, banha e embutidos aos humanos. O milho alimentava o galináceo, produzindo carne e ovos, e ainda enchia fornos e panelas de farinhas, bolos, broas, curaus, pamonhas e pipocas. O arroz e o feijão só vieram a entrar nas mesas da região já com o século XIX bem andado.

Essa tradição de valorizar o milho (ou *auati*, no dizer do indígena) é refletida e bastante cantada na literatura regional. Um dos momentos mais lúdicos e belos de sua exaltação talvez seja o longo "Poema do milho", de Cora Coralina, que diz assim, em duas de suas estrofes[5]:

> Cavador de milho, que está fazendo?
> Há que milênios vem você plantando.
> Capanga de grãos dourados a tiracolo.
> Crente da terra. Sacerdote da terra.
> Pai da terra.
> Filho da terra.
> Ascendente da terra.
> Descendente da terra.
> Ele, mesmo, terra.
> (...)
> Milho plantado; dormindo no chão, aconchegados
> seis grãos na cova.
> Quatro na regra, dois de quebra.
> Vida inerte que a terra vai multiplicar.

A poetisa goiana atribuía tanto valor ao milho e sua civilização que escreveu outros versos em que coloca esse grão como um alimento de pobre, ou seja, de sociedades de fora do centro do mundo, das potências coloniais e imperialistas. Esses outros versos foram sempre publicados como um preâmbulo do poema maior e são assim:

Oração do milho (Introdução ao "Poema do milho")
Senhor, nada valho.
Sou a planta humilde dos quintais pequenos e das lavouras pobres.
Meu grão, perdido por acaso,
nasce e cresce da terra descuidada.
Ponho folhas e haste, e se me ajudardes, Senhor,
mesmo planta de acaso, solitária,
dou espigas e devolvo em muitos grãos
o grão perdido inicial, salvo por milagre,
que a terra fecundou.
Sou a planta primária da lavoura.
Não me pertence a hierarquia tradicional do trigo
e de mim não se faz o pão alvo universal.
O Justo não me consagrou Pão de Vida, nem lugar me foi dado nos altares.
Sou apenas o alimento forte e substancial dos que trabalham a terra, onde
não vinga o trigo nobre.
Sou de origem obscura e de ascendência pobre,
alimento de rústicos e animais do jugo.

Quando os deuses da Hélade corriam pelos bosques,
coroados de rosas e de espigas,
quando os hebreus iam em longas caravanas
buscar na terra do Egito o trigo dos faraós,

quando Rute respigava cantando nas searas de Booz
e Jesus abençoava os trigais maduros,
eu era apenas o bró nativo das tabas ameríndias.

Fui o angu pesado e constante do escravo na exaustão
do eito.
Sou a broa grosseira e modesta do pequeno sitiante.
Sou a farinha econômica do proletário.
Sou a polenta do imigrante e a miga dos que começam
a vida em terra estranha.
Alimento de porcos e do triste mu de carga.
O que me planta não levanta comércio, nem avantaja
dinheiro.
Sou apenas a fartura generosa e despreocupada dos
paióis.
Sou o cocho abastecido donde rumina o gado.
Sou o canto festivo dos galos na glória do dia que
amanhece.
Sou o cacarejo alegre das poedeiras à volta dos ninhos.
Sou a pobreza vegetal agradecida a Vós, Senhor.
que me fizestes necessário e humilde.
Sou o milho.

Do português ao *goianês*

A língua portuguesa, por seu lado, também tinha por acolá características próprias, um jeito de "goianês", o que chegava a gerar certas confusões, especialmente a alguém que, como Bernardo, se habituara a textos importados dos grandes centros tupiniquins e europeus desde os primeiros contatos com a palavra escrita.

Verbetes haviam sido criados ali, e outros já existentes no restante do país ganharam novos significados ou síncopes. "Melhor" virou *mor* ou *mió*, "bezerrinho" virou *bezerrim*, "senhor" e "senhora" viraram *sô* e *sá*, "para modo de" virou *pra mode,* e assim por diante.

Autor do *Dicionário do Brasil Central*[6], o pesquisador goiano Waldomiro Bariani Ortencio tem uma explicação para o fato:

> Nosso vocabulário é rico e variado devido à extensão do estado, às influências emigratórias, variando os nomes de zona para zona: assombração, no norte do estado, é nervosia, aparição e visagem.

Isso tudo compunha o ambiente em que nasceu e cresceu Bernardo Élis. O historiador Ramir Curado, também corumbaense, percebeu a forte ligação do escritor com sua terra e escreveu o livro *A presença de Corumbá de Goiás na obra de Bernardo Élis*[7]. Meticuloso, Ramir vasculhou linha por linha todos os escritos de seu conterrâneo e deles retirou o material usado em seu trabalho, com descrição dos ambientes e citações de originais.

Ele diz que ali o escritor forjou as linhas básicas de sua obra, que são "a valorização da cultura goiana e a aversão às injustiças sociais". Escreveu Ramir:

> E foi em sua terra, a cidade de Corumbá, que Élis encontrou grande parte da matéria-prima para seus contos, uma vez que ela encarnava simultaneamente tudo que o estado de Goiás tinha de melhor, que era

a riqueza cultural, e também o que possuía de pior, a pobreza da maior parte de seu povo, resultante de um sistema político-econômico opressor.

Ao longo de sua atividade literária, Bernardo escreveu sobre todos os aspectos da vida em Corumbá de Goiás. E o fez não apenas em seus contos, mas também nos mais diversos gêneros literários, inclusive a matéria jornalística, a crônica, o relato documental. Em todas as modalidades da escrita, mesmo na mais singela ficção, inclusive poemas, ele retratou sua terra e sua gente com uma fidedignidade de causar espanto.

Os fatos reais de sua própria vida, em seu dia a dia, eram provedores de temas, casos e cenários para esses escritos. Mas ele também se nutria das conversas com pessoas mais antigas, fotos, cartas e outros documentos que entulhavam os baús em fazendas ou nos casarões, igrejas, escritórios e lojas da cidade. Tudo era fonte preciosa de suas pesquisas.

Como vertedouros importantes, também, havia publicações que surgiram na região desde os primeiros tempos. É o caso, por exemplo, do jornal *A Matutina Meiapontense*, o primeiro periódico do Brasil Central, editado de março de 1830 a meados de 1834, em Pirenópolis.

Seu proprietário, o goiano Joaquim Alves de Oliveira, comprou a tipografia no Rio de Janeiro e a levou para o sertão em lombo de animais. O jornal circulava três vezes por semana e constava de seu programa "registrar os acontecimentos nacionais e estrangeiros e divulgar os atos do governo". Saíram 523 edições, muito bem vasculhadas por Bernardo.

Uma fase marcante na vida daquela gente foi, sem dúvida, o fim do Ciclo do Ouro. Afinal, o arraial havia surgido por causa do metal, mas a fonte dourada secou, e os mineiros, trabalhadores, escravos, todos teriam que dar outros rumos a suas subsistências. As dificuldades seriam muito maiores, na medida em que a fonte maior de riqueza escorria por entre as mãos como água de chuva.

Bernardo aproveitou seu conto "Dona Sá Donana" para descrever essas mudanças:[8]

> À proporção que o metal rareava, iam os mineiros retirando-se com os escravos para outras catas mais rendosas; outros mineiros, endividados, vendiam seus escravos para poder se manter [...] Com o ouro cada vez mais vasqueiro, os desbravadores ricos ou empobrecidos permaneceram prisioneiros daqueles núcleos de vida, explorando as terras que lhes foram doadas pela Coroa ou constituindo posses que posteriormente o registro paroquial viria confirmar. Recorreram à criação de gado e à lavoura, atividades suficientes para sustentar a população sobejante por esse oco de Deus. O gado barato atraía para cá dinheiro de Minas, São Paulo e Bahia, com que adquiriam tecido, calçados, ferragens, sal, medicamentos e outras utilidades [...] Carros de boi rechinando nos chapadões monótonos, meses e meses, levando couros, toucinho, carne-seca; trazendo de volta sal e manufaturas [...] Pirais estralejando na quebrada das serras, espantando o caracará pachorrento, alertando a butirama [...] carregada de fardos e dobros. Vozes roucas secando as botinas puíam

as estradas do sertão, traçando rumos no ermo em por berrante merencório [...]

Rio Corumbá

O rio Corumbá, que corta a cidade com suas corredeiras, quedas d'água, poços e remansos, sempre foi um dos centros da vida daqueles viventes e motivo de versos de poetas. Como outros escribas, Bernardo também o retratou com a graça e o encanto infantil de alguém que sempre se deleitou com aquelas águas límpidas que brotavam nos morros da serra dos Pirineus.

Salto do rio Corumbá

Em seus escritos autobiográficos, ele narrou desta forma:[9]

> De tudo, porém, o que melhor havia em Corumbá era o rio, rio Corumbá chamado, amigo e generoso, correndo sobre lajedos e brancas areias, despencando das fraldas dos Pirineus as águas frias e muito limpas [...] À sua margem ensolarada e mosquitenta estávamos nós desde manhã até a tardinha. Eram os banhos, os longos banhos nosso esporte, nossa higiene, nossa escola para os segredos do sexo e da alma.

No entanto, com um sentimento que deve ter nascido com as cheias periódicas que inundavam seu coração de medo e horror, em vários momentos ele retrata um rio feio, tenebroso, com "vozes de pesadelo". Esse é o caso de pelo menos três contos em que o rio quase deixa de ser cenário de eventos funestos para ser, ele próprio, um terrível personagem. São "Nhola dos Anjos e a cheia do Corumbá", "O menino que morreu afogado" e "Quadra de São José".

Com igual vigor, no entanto, Bernardo encanta os leitores com retratos da arquitetura local, por exemplo, descrevendo cenários de seu tempo, mas indo lá atrás, nos primórdios da localidade. Esse é o caso de um relato que faz sobre a igreja local, logo nos primeiros anos de formação do arraial:[10]

> Isso pelas alturas de 1730. Aí foi construída uma modesta capela que sofreu numerosas modificações, de maneira que por volta de 1824 era uma igreja pequena, mas bonita, com duas torres desiguais, o interior ornado com uma capela-mor e arco cruzeiro trabalhados em madeira

talhada e dourada, com mais dois altares laterais. No altar-mor há uma imagem de N. S. da Penha de França, em tamanho natural, que foi — diz a tradição — doada à igreja pelo sargento-mor Antônio José de Campos, português, talvez o mais rico minerador, no ano de 1755.

Também os ambientes rurais e as festas tradicionais, com seus ritmos, danças e alegorias, perpassam toda a obra de Bernardo Élis. São incontáveis as linhas e páginas que ele gastou, muito bem gastas, a narrar as festas populares de sua gente, todas praticamente vinculadas a datas e crenças católicas.

Na crônica "Deus já entende português"[11], ele é direto:

> Na pequena cidade em que eu nasci e me criei, a igreja católica era o centro da vida social e o vigário homem culto, grande conhecedor das normas litúrgicas, as quais observava rigorosamente, consoante lhe permitiam a pobreza e a ignorância da paróquia.

O edifício da igreja era, pois, o cenário principal das festas da comunidade, e o padre era quem as coordenava, embora lideranças locais funcionassem como guardiãs dos rituais, das músicas, de ritmos e das danças. Também guardavam os instrumentos musicais e os paramentos, que seriam usados no ano seguinte ou, em alguns casos, em outras festas. A maior parte dessas festanças foi sendo implantada desde a criação do arraial, no século XVII, e todas eram ainda mais vigorosas na segunda década do século XX, quando Bernardo nasceu.

A matriz Nossa Senhora da Penha de França foi a primeira construção de alvenaria da cidade e exibe no teto um afresco retratando uma aparição de N. S. dos Pirineus franceses. Isso porque a descoberta de ouro na região se deu em um dia consagrado à santa. Os bandeirantes paulistas responsáveis pela empreitada tomaram o acontecimento como uma bênção e elegeram, assim, a padroeira do incipiente povoado.

Ao redor do templo, os pioneiros levantaram diversos ranchos. É esse conjunto de construções que foi tombado como patrimônio histórico e artístico nacional em 1988. Nos fins de ano, enfeites natalinos deixam o casario ainda mais bonito.

A festa de Natal não se restringia à virada do dia 24 pra 25 de dezembro, quando se comemora o nascimento de Jesus Cristo. Ia bem além, até o dia 6 de janeiro, data em que, segundo a crença católica, teriam chegado os reis magos pra homenagear o recém-nascido. O tema é recorrente na obra do escritor, mas é, por certo, no conto "Em que o mistério da conveniência explica a conveniência do mistério" que ele faz uma síntese precisa do contexto da festa:[12]

> A mulher do coronel costumava celebrar o Natal com um grande presépio muito bonito [...] onde a coisa mais deliciosa era o perfume dos jasmins de São José. Em torno do presépio reunia-se o pessoal de maior estima do coronel com suas famílias, rezando-se o terço às 10 da noite, servindo-se depois café com leite e bolos. Era uma festa tradicional no lugar.

Janeiro era o mês do rescaldo natalino, mas havia ainda a festa de São Sebastião. Sempre foi muito alegre, com jeitão de quermesse junina, cheia de bingos, leilões e foguetórios. A partir daí, era tempo de serenar os espíritos, baixar o facho, como nos relata Bernardo:[13]

> Por março-abril era a coresma e a semana santa, com muito roceiro e a cidade em uma tristeza de matar. A igreja panejando toalhas roxas, o sino rolando seu dobre fúnebre à meia-noite. Mangarati, a mulher que virava lobisomem, vinha comer fralda suja de cocô de neném nas noites de lua. Na Sexta-feira da Paixão, o coronel da cidade (meu tio) distribuía para cada família moradeira na rua uma lata de sardinha, ou uma lata de camarão ou um pedaço de bacalhau.

Ó Divino Isprito Santo

Mas a grande festança mesmo, o grande furdunço naquela Corumbá das primeiras décadas do século XX era a Festa do Divino Espírito Santo. Talvez por seu sincretismo, por sua pluralidade. O fato é que gente das mais remotas quebradas da zona rural despencava para a cidade disposta a encarar vários dias de folia.

Bernardo descreve:[14]

> Em maio eram as folias, os pousos de folia, as festas do Senhor Divino Espírito Santo. No sábado e no domingo eram as folias de rua: sábado, folia de Santa Efigênia e Santo Elesbão, devoção de ex-escravos e dos pobres atuais; no domingo era a Folia do Divino, com Imperador, mesada e alguma vez entremez e cavalhada. Na segunda e terça seguiam-se as congadas de catupê, festa da roceirama.

Em verdade, essa festa esteve muito presente na infância do escritor e está bastante presente em todos os seus escritos também. No livro *Veranico de janeiro*, em especial. Já na apresentação que fez àquela obra, em que arrasta uma narrativa autobiográfica, ele relembra com um texto alegre como eram as festas do Divino.

Mas é no conto "A enxada", publicado pela primeira vez naquele livro, que ele entra fundo na movimentação da gentarada para a folia:[15]

> Olhava-se para a banda da Mata, vinha gente. Olhava-se para o lado do Barreiro, vinha gente. Para onde quer que se olhasse estava gente chegando para a festa do Divino Espírito Santo: gente de a cavalo, cargueirama, carros de boi e uns poucos de a pé. Os pastos da redondeza logo pretejaram de animais, de bois de carro, polacos e cincerros tilintando. O diabo da minha égua rosilha que eu deixei peada na beira do rio, não é que a peia sumiu, gente! A cidade meio que engordava, uma alegria forte abrindo risos nas bocas, muita conversa, apertos de mão e abraços [...] Muitas casas que permaneciam fechadas, tristonhas, ver tapera fora de quadra da festa, agora se abriam, com a roceirama entupindo as salas, sentando nos toscos e pesados bancos de jatobá encostados nas paredes, ou agachados pelas cunzinhas, pelos quintais, numa conversa cheia de risadas que entravam pela noite adentro [...] A bem dizer, chegaram hóspedes em todas as casas, excetas as casas dos graúdos, como o coronel, Donana e Seu Evangelista. Esses não tinham parentes pobres moradores na roça e não aceitavam roceiro em casa.

Durante a Festa do Divino, por alguns anos, nas décadas de 1930 e 1940, existiu em Corumbá uma modalidade diferente de congo, chamada de "conguinhos", que Bernardo também retratou. Segundo a pesquisadora Wilna de Jesus Coelho Cunha[16], essa dança musicada não reverenciava santos nem personagens históricos. Era uma simples brincadeira.

A dança de congo, também chamada de "congadas", é a mais antiga referência do folclore africano que se tem no Brasil. Nos seus próprios cantos e narrativas, são usadas palavras ou até frases inteiras em dialetos originais, e os enredos representam guerras entre grupos tribais.

Em Corumbá, como em outras partes do país, os grupos saíam pelas ruas e paravam pra dançar diante das casas cujos moradores os chamassem. Eram trupes numerosas, sempre com mais de uma dúzia de pessoas, a maioria branca. Já os puxadores de "conguinhos" eram menos numerosos e se restringiam a cantos alegres, só em português, sem o roteiro tradicional.

Foi no meio do conto "Veranico de janeiro"[17] que o autor tratou do tema, inserindo parte de uma cantoria desses foliões:

Trepei na roseira,
Quebrou um gaio,
Segura morena,
Senão eu caio.

Vinha, então, o mês de junho, em que se veneravam Santo Antônio, São Pedro e São João na tradição católica.

As festas juninas, com suas fogueiras e danças de quadrilhas, tomavam conta de vários logradouros na cidade e na zona rural. Bernardo escreveu o conto "Noite de São João", cujo enredo se passa em uma dessas festas.

Um trecho:[18]

> Era um São João contidas as exigências protocolares: terreno varrido, no meio dele, descansando num X de varas de pindaíba, o mastro pintado de tauá e oca e com o pé à beira do buraco tampado com um caco de telha. Ao lado, a fogueira. Dentro da sala, num altar, a bandeira daquele santo brabo que comia gafanhotos. Na frente da casa erguia-se o copiá feito de piteira e folhas de bananeiras. Era a ave-maria e reunia-se um povão na chácara. Depois da reza, saiu a procissão perfumada de cera queimada dos rolos. "Viva São João Batista". O mastro principiou a levantar-se e foguetes rápidos sangraram com arranhões felinos a bondade azul agora todo empapado de luar [...] Serviam café com bolo de mandioca. O pessoal barulhento, risonho, cercou a fogueira. O que começou a subir pelo céu, mais belo que um balão, foi uma moda de viola. Chorosa, longa, com sabor arrependido de banzo [...] assavam batatas, arrebentavam pipocas, enquanto tiravam as sortes, e um velho, hierático, com pés descalços, atravessava sobre as brasas vivas. Depois uma sanfona começou, fanhosamente, a arrastar pela poeira o ritmo canalha da mazurca e a moçada entrou para o rasta-pé, deixando a fogueira quase sozinha.

De junho em diante, ocorriam algumas procissões e festejos localizados, mas a volta das chuvas, lá por setembro ou outubro, levava quase todo mundo de volta às roças, que já era tempo de plantio. De todo jeito, anualmente, em setembro, há a festa da padroeira da cidade, Nossa Senhora da Penha de França.

A religiosidade das festas da região se misturava, contudo, com crenças e superstições de todas as qualidades, de assombrações a milagres. Muitos causos e histórias sobre nervosias que circulavam pelos sertões de Corumbá de Goiás sempre foram coletados e repassados por Bernardo em seus escritos.

Quando Bernardo morreu, havia em sua casa uma caixa com textos inéditos, editados postumamente no livro *O canto da seriema*[19]. Uma dessas peças é o conto "O senhor da caça", onde está este causo:

> — Ó Chico, você ficou sabendo quem era o viajante que nos deu essa arma fedorenta? — É que a partir do momento que o Chico entrara com a arma, o fedor de enxofre se tornara insuportável. Desapontado, Chico confessou que não sabia quem era, nem que nome possuía, no entanto, sabia que nenhum vizinho vira tal viajante ali chegar ou dali sair. Ninguém o vira, ninguém o conhecia, ao contrário do que ele havia afirmado. Nem rastro deixou seu cavalo grande e pesado. É — concordou o Chico... — E por que será que ele nunca tirava o chapéu? E que chapéu — observou a mulher, em tom de medo. — O chapéu mais feio que nunca vi, que ia ficando cada vez mais largo para o alto, como

se fosse um disfarce para esconder um par de chifres. Credo! — Isso mesmo — aprovou em um sopro o sitiante. Isso mesmo: eu sempre tive a impressão que aquele homem tinha chifres, t'esconjuro, — Tomás — completou benzendo-se, no que foi seguido pela mulher.

Bernardo se dedicou, também, a contar detalhes da vida cotidiana ao seu redor, com a dimensão que essas coisas tinham em seu tempo. Por exemplo, ele tinha cinco anos quando o primeiro automóvel chegou à sua pequena cidade, pra surpresa geral.

Muitos anos depois, ele assim descreveu o evento:[20]

Certa vez, minha infância foi alvoroçada por notícias e preparativos solenes. É que a ela chegou, numa manhã de muito sol, uma estranha máquina que reverberava nos seus metais, roncava e dava tiros, conduzida por um homem de boné, óculos, bota e culote, feito um soldado de revista. Foi uma festa. Os homens grandes disseram que era um Ford, viera de Anápolis, através de espigões, sem estradas nem pontes. Mas chegando à minha terra, aquela grota tão profunda, a máquina empacou: durante todo o tempo das águas ficou ali exposta, recoberta com um couro de boi, feito um carro de boi também. Finalmente chegou um carro puxado por muitas juntas de bois e levaram a máquina para não sei onde. Aí começaram a fazer uma estrada com pontes, pontilhões, mata-burros, cortes e todo o mundo ficava de queixo caído: como podiam gastar tanto dinheiro em fazer estradas, uma coisa para a qual ninguém ligou jamais na vida. Mas outros são os tempos, outros são os tempos, repetia o coronel. E por essa nova estrada vieram outros Fords que não mais empacaram em minha terra; empacaram em outros lugares.

Os garimpos de ouro, diamantes e outras pedras, que são marcas da ocupação de Goiás, entretanto, passaram meio em branco em toda a obra de Bernardo. Em seus escritos, o pouco espaço que ele dedica a essa atividade revela sua posição sobre o assunto. Pra ele, a garimpagem sempre foi relacionada ao atraso, à brutalidade e às injustiças sociais, enfim.

Esse fato chamou a atenção do escritor mineiro Guimarães Rosa, que teceu comentários sobre o tema em carta que escreveu a Bernardo, a propósito do livro *Caminhos e descaminhos*.

No conto "Ontem, como hoje, como amanhã, como depois", Bernardo constrói um personagem ignorante, que representa isso tudo: o desgraçado morava em um "chão parado", em meio a águas que andavam, nos confins do Tocantins, um ambiente belo, descrito em minúcias, mas repleto de maldades, tidas e havidas como normais.[21]

O cabo Sulivero negociou com um índio, lá chamado de bugre, a cessão de sua filha Put-Kôe, ainda menina de tudo, pra que ele usasse e abusasse dela a seu bel-prazer, como esposa e serviçal no garimpo onde ele esperava bamburrar. Gastaria a dinheirama que ganhasse em orgias com mulheres e bebidas em paraísos como o Paraná, o Rio de Janeiro e Salvador da Bahia, que ele não tinha a menor ideia de onde ficavam.

No entanto, o garimpo não deu certo, e a indiazinha, já grávida, tombou morta ante um tiro de trezoitão desfechado pelo cabo Sulivero. Foi no interior de uma vendinha do lugarejo, na presença do vendeiro e outro indivíduo, mas estes apenas disseram que o fato "foi normal".

Ervas daninhas

Ao tratar de sua terra em seus escritos, Bernardo depara o tempo todo com a questão ecológica, em uma espécie de conluio. Uma cumplicidade que valorizava o rumor das águas nos socavões da serra, o ganir dos bichos de patas e o arrulhar da passarada na mata, o zumbir do vento nos ermos e o luzir das luzes nos cintilantes gerais.

Ele parecia querer delimitar fronteiras, como que esticando arames entre aquela natureza esbelta e a marcha do progresso, se assim podia classificar a ocupação que por ali se fazia.

Essa mesma natureza se tornava perversa diante da agressão do homem, como que em vingança. Enxurradas nos cursos d'água, grotas por erosão, desbarrancamentos, ervas daninhas matando o gado e doenças campeando soltas sobre a gentalha. Esta passagem é de um conto de seu primeiro livro, *Ermos e gerais*:[22]

> Já tinha para mais de oitenta anos que os dos Anjos moravam ali na foz do Capivari no Corumbá [...] No tempo da guerra do Lopes, ou antes ainda, o avô de Quelemente veio de Minas e montou ali sua fazenda de gado, pois a formação geográfica construíra um excelente apartador. O gado, porém, quando o velho morreu, já

estava quase extinto pelas ervas daninhas. Daí para cá foi a decadência. No lugar da casa de telhas, que ruiu, ergueram um rancho de palhas. A erva se incumbiu também de arrasar o resto do gado e as febres as pessoas.

Notas:

1. Entrevista de Bernardo Élis ao jornalista Euler de França Belém, publicada no jornal *Diário da Manhã* em janeiro de 1991. Goiânia/GO.
2. Sales Barbosa, Altair. *O Piar da juriti pepena — Narrativa ecológica da ocupação humana do cerrado*, Editora PUC-GO, Goiânia/GO, 2014.
3. Élis, Bernardo. *A vida são as sobras*, Editora Kelps, Goiânia/GO, 2000.
4. Palacín, Luis. *O século do ouro em Goiás*, Editora UCG, Goiânia/GO, 1994.
5. Bertran, Paulo. *História da terra e do homem no Planalto Central*, Editora UnB, Brasília/DF, 2011.
6. Ortencio, Bariani. *Dicionário do Brasil Central*, Ática/Autor, Goiânia/GO, 1978.
7. Curado, Ramir. *A presença de Corumbá na vida e obra de Bernardo Élis*, EG Anápolis/Autor, Anápolis/GO, 2005.
8. Élis, Bernardo. *Veranico de janeiro*, J. Olympio, Rio de Janeiro/RJ, 1979.
9. Élis, Bernardo. *Veranico de janeiro*, J. Olympio, Rio de Janeiro/RJ, 1979.
10. Élis, Bernardo. *Deus já entende português*.
11. Élis, Bernardo. *Em que mistério...*
12. Élis, Bernardo. *Semana Santa*.
13. Élis, Bernardo. *Seleta*, José Olympio, Rio de Janeiro, 1974, 3.ª edição.
14. Élis, Bernardo. *Festa do Divino*.
15. Élis, Bernardo. *Veranico de janeiro*, J. Olympio, Rio de Janeiro/RJ, 1979.
16. Cunha, Wilna de Jesus Coelho, em *Oralidade na obra de Bernardo Élis*, Editora Kelps, Goiânia/GO, 1998.
17. Élis, Bernardo. *Veranico de janeiro*, J. Olympio, Rio de Janeiro/RJ, 1979.
18. Élis, Bernardo. Conto "Noite de São João", em *Ermos e gerais*.
19. Élis, Bernardo. Conto "O senhor da caça", em *O canto da seriema*, Verano Editora, Brasília/DF, 1997.
20. Élis, Bernardo. *Automóvel*.
21. Élis, Bernardo. *Caminhos e descaminhos*, O autor, Goiânia, Prêmio ABL 1967.
22. Élis, Bernardo. "Conto Nhola dos Anjos e a cheia do Corumbá", em *Obras Reunidas*, vol. I, J. Olympio, Rio de Janeiro, 1986.

O poeta Erico Curado, ao centro, pai de Bernardo.

Literatura em casa

Comerciante fracassado, aristocrata teimoso, intelectual polemista, poeta de respeito. Essas características talvez resumam a figura de Erico José Curado, pai de Bernardo Élis. Seu nome era assim mesmo, paroxítono, sem acento no "e" que o faria Érico. Era filho da terra, nascido ali mesmo, em Corumbá de Goiás, no seio de uma das mais influentes oligarquias goianas.

Casou-se bem cedo com Marieta Fleury Curado, nascida e criada na então capital do estado, a histórica Vila Boa. Ela virou dona de casa, mas era bastante letrada, capaz de ao mesmo tempo criticar (sempre em vão) poemas do marido e costurar pra fora, de modo a garantir alguma comida na mesa daquele lar. E ainda mantinha a casa asseada e as refeições sempre nas horas certas.

Uma aparência de classe e glamour lado a lado com uma realidade de severas dificuldades financeiras. Com sua costura, ela vestia as madames da cidade e quase todas as noivas nos dias de casamentos. Chegou a lecionar na escola pública local, mas as obrigações domésticas e as cobranças do marido a puseram de volta dentro de casa.

Marieta era uma figura dócil, aquiescente. E sempre elegante, bem trajada, quando chamada a visitar casas de parentes e amigos ou frequentar lugares públicos. Segundo o próprio Bernardo[1], ela era pessoa diferente das mulheres das altas rodas locais, porque trajava vestidos coloridos, usava sapatos de salto e maquiava o rosto, com batom nos lábios.

As outras vestiam roupas escuras, sempre com a cabeça coberta com mantos e véus, não usavam maquiagem nem pensavam em batom. Tampouco ousavam parar nas ruas sob qualquer pretexto e andavam com olhares baixos, mas cumprimentando outros transeuntes.

Ela viveu bem mais que o marido, vindo a falecer em novembro de 1990, aos noventa e cinco anos. Com idade já avançada, foi morar em Brasília, por contingências e querências. Morar com a filha mais nova, mesmo passando dificuldade na capital federal, ficava mais em conta e mais fácil. Ademais, ela preferia o movimento da cidade grande a lugar da quietude do interior.

Nas lembranças escritas por Bernardo, ela aparece assim[2]:

> Minha mãe era alegre, convivente, inteligente e de grande senso poético. Para mim, minha mãe tinha tanto ou mais sentimento do que meu pai, ou pelo menos o expressava melhor. Enquanto meu pai nunca externava

as emoções, nem as dores ou doenças denunciava, minha mãe era um tanto manhosa ou escandalosa. Por pouco, chorava, reclamava, ria-se com estardalhaço, manifestava opinião sem levar muito em conta as conveniências, era muito franca e extrovertida.

Era, sem dúvida, um lar repleto de contradições aquele em que nasceram e cresceram Bernardo, seu irmão mais velho e único, Alberto Maria, e a irmã, Hilda, cinco anos mais nova que ele. Meio por adoção, mas com funções de empregada, foi morar com eles a menina Rosa, oito anos mais velha, filha de um casal de lavradores pobres, cuja mãe morrera prematuramente e o pai não tinha como cuidar dela.

Ali conviviam a pesada tradição das elites goianas, com seus preceitos e preconceitos, ao lado do que de mais moderno havia na literatura nacional, que já entrava no Modernismo, e os clássicos do mundo inteiro. Por uma série de razões, nos primeiros anos, aos filhos era dada uma educação doméstica, bem fechada, que evitava promiscuidades.

Mas nada fez com que Rosa, a filha postiça, aprendesse a ler, escrever e fazer contas no lápis. Era menina inteligente, tinha excelente memória e fazia as operações aritméticas de cabeça, mas, quando saiu da roça, já não se adaptou aos novos métodos.

De todo jeito, ela exerceu forte influência sobre Bernardo, pois conhecia toda a literatura oral contada nos rincões mais distantes, dos poemas de Bocage às histórias de Pedro Malazarte, João e Maria e por aí afora. Mas se atinha, de igual modo, a casos e cenas do folclore regional, que contava com desenvoltura aos irmãozinhos que a vida lhe dera.

Sempre que tinha oportunidade, por toda a vida, Bernardo escrevia ou falava bastante de Rosa, sem esconder que aprendera muito com ela sobre a gente, as histórias e estórias dos sertões. E dedicou a ela o conto "Rosa", publicado no livro *Veranico de janeiro*, que mereceu esta avaliação de Aurélio Buarque de Holanda, quando deu boas-vindas ao colega na Academia Brasileira de Letras:

> "Rosa" é um pedaço da natureza. Uma força da natureza. No conto que lhe traz o nome, não só os seres humanos, mas a natureza toda, animais, vegetais, coisas, são personagens. Toda aquela armação de tempestade é antológica: antológica é a história inteira. Os pios aflitos dos sabiás-de-rabo-mole "varavam o coração de Rosa e punham em suas feições uma sombra de bruteza e dor".

Um pouco disso, por certo, ficou espalhado também pelo resto de sua obra. A pesquisadora Wilna de Jesus Coelho Cunha, que defendeu dissertação de mestrado sobre o tema, afirma:[3]

> Só um grande escritor é capaz de trabalhar com os mitos, os causos, as cantigas, as parlendas, os provérbios etc. sem que o registro desse material se afigure como uma intertextualidade ostensiva, como um corpo estranho ao interior da narrativa. A Bernardo Élis devemos não só o registro da voz do povo, de sua sabedoria, o tom de suas emoções, mas também o toque mágico de sua intervenção: o que faz que sua oralidade cale fundo dentro de nós.

Já Hilda, a irmã, gastava seu português em um meticuloso diário que escreveu durante toda a vida, sempre à noite, depois que a casa ficava em silêncio. Esse material foi bater nas mãos de Bernardo e serviu-lhe grandemente pra rememorar fatos, episódios, datas, nomes de pessoas e mesmo observações sobre a vida daquelas pessoas que ambos conheciam.

No reduto doméstico, na casa azul, assoalhada, de Corumbá, todos conviviam com revistas e jornais do Rio de Janeiro e São Paulo, que abriam janelas ao mundo, além dos livros clássicos e de vários dicionários, inclusive um Caldas Aulete, edição portuguesa de 1881. Sim, e uma enciclopédia Delta Larousse em francês. Seu avô assinava o *Jornal do Commércio* e *A Gazeta de Notícias*, que levavam vinte dias pra chegar do Rio, mas ali eram as melhores fontes de notícias frescas do Brasil e do mundo.

Uma peça fundamental na casa era uma gramática portuguesa de João Ribeiro tratada com muito carinho e cuidado que acabou sendo alvo de uma boa história. Erico passava aos meninos a tarefa de decorar trechos da obra, que cobrava dias depois, mas Alberto tinha dificuldades pra memorizar. E, aí, levava boas lições de moral que duravam minutos.

Um dia, após um desses sermões, enfurecido, o irmão de Bernardo saiu ao terreiro e jogou o livro sobre o telhado da casa, na esperança que rolasse de volta. Só que o precioso compêndio não retornou. Ele chamou Bernardo, e os dois tiveram que subir na cobertura, mas não conseguiram mais localizá-lo.

A encrenca foi grande, gerou castigos, constante cobrança e durou até a chegada das chuvas, quando a fugidia gramática apareceu no terreiro, toda retorcida e molhada. A mãe enxugou o volume, página por página, e o secou com ferro de passar roupas, mas não conseguiu evitar nova e enorme bronca.

Conversas reguladas

A linguagem falada no dia a dia da casa ou nas relações com outras pessoas também era bastante fiscalizada, de modo a manter o que seria um nível aceitável a uma família de elevado padrão, no entender dos pais.

Bernardo relembra em seus escritos:[4]

> Também elogios, palavras de ternura, de amor, um galanteio, exteriorizações fraternais, nada disso existia, como igualmente nem existiam brigas, altercações, uma frase mais agressiva ou grosseira, qualquer palavra chula ou xingamento. O mais que se permitia era "demônio", "capeta", "inferno", "sem-vergonha". Tamanho era o pudor que a palavra "égua" era considerada indecente ou pornografia.

Em nenhum momento de sua obra, talvez por isso mesmo, Bernardo se refere à zoofilia, no sentido da iniciação sexual por relação com animais e ovos de galinhas, por exemplo, que são atos muito comuns na zona rural.

O pai fiscalizava a mãe, impedindo que ela se imiscuísse em assuntos vulgares, em que apareciam conversas sobre a vida alheia, por exemplo. Ela, no entanto, mantinha uma rede de amigas conversadeiras por debaixo do pano, no maior sigilo, e nisso tinha alguns bons momentos de seu cotidiano.

Bernardo conta, ainda, que ela chegou a se envolver em boas e rumorosas intrigas no meio da parentalha, mas ressalta que havia um pacto de silêncio entre as mulheres, que reservavam uma faixa própria a essas ruidosas comunicações. Mas ele, por estar em casa e ouvir as conversas, sabia das coisas.

O espírito polêmico de Erico, contudo, não era nada sigiloso nem silencioso, muito pelo contrário. Manifestado em publicações ou em praça pública, esse seu jeito irreverente, sem papas na língua nem na caneta, muitas vezes lhe criava problemas, um dos quais afetou a educação dos filhos.

O caso é que um aparentado seu, também Fleury Curado, era o mestre-escola daquele que, em seu modo de ver, era o único estabelecimento de ensino confiável da localidade, digno de acolher seus filhos. Mesmo assim, foi alvo de seus versos, criticando a pedagogia ali praticada. Magoado, o professor proibiu os filhos do poeta-crítico de estudarem na escola. A alternativa que lhes sobrou foi estudar em casa com a abnegada mãe.

É certo que o pai também interferia nos ensinamentos desde as primeiras letras, como conta Bernardo em seus escritos autobiográficos:[5]

> Uma das mais velhas lembranças de minha infância é meu pai confeccionando uma carta de á-bê-cê para aprendermos a ler. Pegou uma caixinha que suponho tenha sido de sapatos, recortou as bordas da tampa e nela pregou, em linha, as letras maiúsculas do alfabeto, as minúsculas e as manuscritas de ambos os tipos. As letras haviam sido recortadas de jornais que meu pai assinava e que recebia emprestados para ler do tio André.

Mas também nisso Erico era contraditório. Bernardo contava, que quando ele e seu irmão tinham doze e treze anos, foram à antiga Vila Boa visitar os avós maternos, como de costume. Mas, nessa ocasião, sua avó pegou uma longa discussão com seu pai, tentando fazê-lo deixar os dois meninos ali, na capital, pra que fizessem o curso ginasial.

No entanto, e muito estranhamente, Erico argumentava que não queria filhos cultos, pois achava que cultura era "um luxo prejudicial" em países como o Brasil. E justificava essa posição dizendo que seu próprio exemplo era comprovação do que afirmava. Entre ele e seus quinze irmãos, argumentava, ele era o único que não havia ficado rico, e isso seria devido ao fato de ser um homem culto.

A discussão levou dias, até que Marieta, a boa mãe de Bernardo, interveio com firmeza, de modo que ele e seu irmão ficaram na capital fazendo o curso ginasial. Eles fizeram até o segundo grau ali e depois seguiram pra Goiânia, a nova capital que nascia, pra levar adiante os estudos.

Os anos passados na casa desses avós foram de grande valia para Bernardo. Primeiro, porque seu avô conhecia muito da história da cidade e passava horas narrando fatos, origem de famílias, hábitos e costumes daquele povo. A perseguição aos índios que ali habitavam e as revoltas de negros escravos que haviam formado vários quilombos na região também faziam parte do cardápio.

Bernardo contava que o impressionava muito a opinião que seu avô tinha a respeito de d. Pedro II, que considerava um dos grandes brasileiros até então. Contava detalhes da Proclamação da República, que considerava uma farsa, e só não pregava abertamente a volta da monarquia por causa dos parentes militares, todos republicanos.

De qualquer modo, o curso primário havia sido completado em casa, sem muitas regras, sem aquela disciplina escolar de horários, deveres de casa, dias de prova e essas coisas. Muitas décadas depois, já com idade avançada, em uma entrevista, Bernardo falou de seu método de produção literária, revelando que às vezes passava um ano ou mais sem produzir uma linha sequer.

Ele atribuía essa indisciplina a duas causas: o fato de nunca ter tido, como escritor, um editor que cobrasse prazos, tamanhos de textos etc., e principalmente o de não ter sido enquadrado nessas regras logo cedo na escola primária, que não havia frequentado.

Em verdade, aquela não era mesmo a opinião de Erico, pois, em muitas outras ocasiões, ele deu provas de que valorizava os estudos dos meninos. O que ele não queria, no caso, era que eles saíssem de casa, de seu controle, enfim. De todo jeito, porém, se fosse mesmo a favor de uma vida prática, voltada para o ganha-pão ou até enriquecimento dos filhos, ele os deixaria trabalhar, ainda que fosse em sua própria loja; mas isso ele não permitia.

Poderia, também, pela influência que tinha, arranjar bons empregos para os dois desde cedo, como era comum na época, mas tampouco isso ele fazia. Bernardo nunca conseguiu desvendar se o pai agia assim para se assegurar de que os filhos estudassem mesmo ou se era um centralismo moralista, para impedir promiscuidades.

Família de linhagem

A vida em casa, cheia de horários e formalidades, era bastante fria. Não havia carinhos e afagos, por exemplo, entre Erico e Marieta, tampouco deles com os filhos. Isso, apesar do espírito expansivo e sorridente da mãe, que assim demonstrava alguma alegria e dava alguma vida ao ambiente doméstico.

Mas era tudo a distância, sem toques, beijos ou abraços. Os pais iam até as camas dar a bênção aos meninos ao se deitarem e pela manhã, ao acordarem, mas nem beijos nas mãos eram permitidos. De resto, porém, era uma casa comum, digamos.

Erico vinha de uma linhagem que tinha seu começo lá atrás, em Bartolomeu Bueno da Silva Filho, o Anhanguera II. Tudo começou com o casamento de Ignácio Dias Pais com Joana de Gusmão, filha do bandeirante que fundou Goiás. E a partir dali foram surgindo várias ramificações. Primeiro, com a posse de sesmarias doadas pela Coroa portuguesa, a exploração de ouro e depois o comércio e o serviço público. Na fieira, muitas pessoas de relevo na história do estado e até do Brasil.

Com origem em Portugal e na Espanha, a família tinha em um de seus braços o português José Gomes Curado. Uma filha desse sujeito se casou com o mais rico minerador daquelas primeiras décadas do arraial, que era o sargento-mor Antônio José de Campos, também lusitano. Ele mexia com exploração de ouro, comércio de secos e molhados, agropecuária e o que mais aparecesse no ramo dos negócios.

Um neto desse casal, João José de Campos Curado, também minerador e comerciante em Corumbá, casou-se com Ana das Dores Camargo Fleury, ligada às letras e irmã do padre Luiz Gonzaga de Camargo Fleury, que tinha um jornal e foi presidente da província em 1837. E assim se misturaram os Fleury e os Curado, de modo que esse tal João José vem a ser o tataravô direto de Bernardo.

Outro filho de José Gomes Curado era Joaquim Xavier Curado, que seguiu a carreira militar até o posto de general e é apontado como um dos fundadores do Exército Brasileiro. Em verdade, ele teve papel importante no processo de separação dessa força armada da antiga Guarda Nacional e nos acontecimentos ao redor da independência do Brasil.

Marechal Joaquim Xavier Curado

O Exército se firmava como uma instituição profissional dedicada às tarefas estritamente militares e precisava de identidade própria. Já a Guarda era uma herança esdrúxula do período colonial, quando a Coroa distribuía patentes aos poderosos, ao sabor de circunstâncias, o que deu origem aos "coronéis" dos sertões brasileiros.

No processo de independência do Brasil, porém, esse general teve papel relevante. Ele havia comandado as tropas brasileiras na guerra de ocupação do território uruguaio e voltara ao Rio de Janeiro, onde chegara a 17 de agosto de 1820, em um navio do Exército.

Com setenta e quatro anos, muitas batalhas e andanças nas costas, ele já havia decidido deixar a ativa e se aposentar. Mas o clima na capital da Colônia não estava nada fácil, de modo que ele se viu forçado a mudar seus planos.

D. João VI estava sendo impelido pelas autoridades constituídas em Portugal a voltar com a família real para Lisboa. Havia ocorrido a Revolução do Porto, que redefiniu os domínios portugueses e espanhóis lá mesmo, na Península Ibérica, e ao redor do mundo. Tornava-se, pois, imperiosa a luta pra assegurar sua permanência no vice-reino do Brasil, em especial a do filho d. Pedro I, príncipe regente.

Assim, em vez de pendurar o quepe, Xavier Curado ganhou um assento no Supremo Conselho Militar e de Justiça, órgão maior na hierarquia militar de então. Era o primeiro brasileiro nato a ocupar uma cadeira naquele colegiado.

Foi no processo anterior e posterior ao Dia do Fico, contudo, que ele assumiu papel preponderante e confrontou a ala do Exército que pretendia cumprir as ordens de Lisboa. A principal figura pró-portuguesa era o general Jorge Avilez, comandante da Divisão Auxiliadora, um braço do Exército cuja oficialidade era partidária da submissão a Portugal, na totalidade.

De qualquer modo, em 9 de janeiro de 1822, o Partido Brasileiro, principal força política de então, entregou a d. Pedro um longo documento, com oito mil assinaturas, pedindo que ele não cedesse às pressões de Lisboa. Em resposta, ele pronunciou a famosa frase: "Se é para o bem de todos e felicidade geral da nação, estou pronto! Digam ao povo que fico!".[6]

Para sustentar sua decisão, no entanto, ele precisava de apoio político e militar. Foi convocada uma assembleia constituinte, que elaborou uma nova Constituição e determinou uma série de outras medidas institucionais, que respaldavam a permanência do Brasil na condição de vice-reino.

Na área militar, todavia, crescia a reação de membros das altas patentes que defendiam o cumprimento das ordens portuguesas. E aí entrou firme o general Xavier Curado, o primeiro brasileiro a receber essa patente naquela força armada ainda no período colonial.

No próprio dia 9 e no dia seguinte, houve festas e manifestações populares no Rio de Janeiro e em outras cidades brasileiras, em apoio à decisão do príncipe. Nos quartéis, porém, tramava-se o contra-ataque. E, no dia 11, terceiro dia após o Fico, os quartéis estavam em ebulição, muitos deles em verdadeiras quarteladas, refutando o comando do regente.

Aquela gente era esperta, porque juntava pessoas nas ruas, em manifestações, pra simular pressão popular em prol dos interesses lusitanos. Contudo, na maioria quase absoluta, eram portugueses que moravam aqui, na quase ex-colônia. E se contrapunham com muita agressividade aos que defendiam um Brasil independente, também nas ruas e quartéis. Ou seja, configurava-se uma guerra civil, com militares nos comandos de ambos os lados.

Percebendo o movimento e informado de quem era quem na caserna, d. Pedro criou um comando à parte, com oficiais brasileiros, e chamou o general Xavier Curado pra ser o homem forte dessa força. Muitos historiadores dizem que foi ali, naquele momento histórico, que surgiu um exército verdadeiramente brasileiro. Daí o fato de nomearem esse general como "criador do Exército Brasileiro". Nove meses depois, d. Pedro proclamou a Independência do Brasil.

Não chegou a haver a temida guerra, graças aos dotes militares e diplomáticos dos comandantes das forças pró-independência, em especial o general Curado. É certo que eclodiram rebeliões Brasil afora, e um regime de força, quase um estado de sítio, ajudou na contenção desses levantes, especialmente na região Nordeste. A Bahia, por exemplo, só veio a fazer parte do novo Brasil em 2 de julho do ano seguinte.

Isso tudo entrou na história da família dos Fleury Curado como exemplo de brasilidade. E era motivo de grande interesse por parte de Bernardo Élis, que via nesse antepassado um exemplo de postura na vida e motivo de grande inspiração.

Em verdade, Bernardo escreveu um livro sobre esse parente do passado, com o título *Marechal Xavier Curado — criador do Exército Nacional*. É uma biografia histórica que surgiu meio por acaso. Em 1972, ano em que se comemoravam os 150 anos da Independência do Brasil, foi criada a Comissão Goiana do Sesquicentenário, como em todos os estados.

Esse colegiado resolveu promover um concurso literário, cujo tema era o general. Muitos ensaístas, historiadores e jornalistas se inscreveram, mas Bernardo foi o vencedor. Além de um prêmio em dinheiro, que lhe deu um alívio nas finanças, teve seu livro publicado.

Ele fez um livro com rigor histórico, baseado na melhor bibliografia disponível na época e em documentos que encontrou em arquivos diversos. No entanto, apesar do caráter da obra, quase todos os seus capítulos foram precedidos de poemas sobre temas relacionados à vida do militar homenageado, todos de poetas de renome nacional. Exceto, talvez, o poema que abre o livro, com o título "Ao general Curado", cujo autor é Erico Curado, seu pai.

Os versos haviam sido compostos em formato de soneto em dezembro de 1930, quando se lembrava o centenário da morte do general goiano. O poema é este:[7]

Ao general Curado
Salve, filho da terra imensa de Anhanguera!
Não sou eu que proclamo o teu ressurgimento,
Despedaçando o véu de ingrato esquecimento
Que ainda ofusca o esplendor de tua glória austera.

É o teu próprio prestígio, o alcance e o atrevimento
Dos feitos imortais, que teu gênio fizera,
Que irrompeu reflorindo ao sol de uma nova era,
Para bem alto erguer teu nobre valimento...

Soldado e diplomata, ave, insigne guerreiro!
Que defendendo a Pátria e sua integridade,
Glorificaste tanto o nome brasileiro...

Levando de vitória em vitória o Brasil,
A que, para servir a causa e a liberdade,
Desde o teu coração histórico e varonil...

Lado materno

Como quase todas as famílias de Corumbá, Marieta também vinha de parentes entrelaçados. O avô de seu pai era bisavô de sua mãe. Era gente de posses e de boa cultura, mas ela mesma só teve acesso à educação em casa, embora vivesse na antiga Vila Boa, a capital goiana, onde havia vários colégios — inclusive um de freiras católicas, onde estudavam os filhos de ricos e pobres, estes agraciados com bolsas.

A alegação para o fato de ela não ter sido encaminhada ao colégio das freiras dominicanas era que seu tio militar, impregnado pelas ideias positivistas da Escola Militar, achava melhor evitar a influência católica. Mas ela achava que havia algo além, que era a posição conservadora de seu pai, que não queria ver uma filha mulher sob o risco de perdição diante de colegas e professoras desconhecidas, mesmo que fossem freiras.

De qualquer modo, Marieta tinha muita cultura e grande senso poético. Costumava cantar quadrinhas enquanto cozinhava ou costurava em casa, muitas das quais eram de sua autoria. Bernardo costumava dizer que ela tinha mais jeito de poeta que seu pai, pela sua postura extrovertida, que não escondia sentimentos, ria quando queria, chorava quando precisava, tudo às abertas. Mas respeitava o poeta da casa, que era o marido.

Ela conheceu Erico e logo se encantou por ele, por seu porte físico (magro, esbelto, com 1,82 m), modo de se vestir e de falar. Quando ficaram noivos, ele se preparava pra mais uma daquelas longas viagens a Belém e Rio de Janeiro. Desconfiada de que ele poderia mudar de rota no meio do caminho, a mãe dela fez aquela exigência de que firmasse em cartório um compromisso de que voltaria pra casar, o que ele fez sem questionar. Demonstrava, assim, que também queria muito o casamento, pois também havia se encantado com a noiva.

Hilda, a filha mais nova, teve pouco contato com os irmãos, pois, quando ela chegou aos oito anos de idade, Bernardo e Alberto Maria já estavam morando com os avós na capital. Em casa, ela ajudava a mãe nas costuras e bordados e, depois, fazia alguns trocados na redação de documentos e chegou a trabalhar como escriturária no cartório. Mas sua educação foi esparsa, desorganizada, de modo que ela podia se dizer autodidata.

Só aos vinte e um anos foi que ela criou coragem pra entrar no ensino regular, já em Goiânia. E, embora também tivesse pendões literários, nunca teve tempo pra se dedicar a essas coisas. Tampouco se casou e, já com alguma idade,

Cidade de Goiás, antiga capital.

resolveu ir morar com a mãe em Brasília, onde Marieta passou seus últimos dias de vida.

Livros no sertão

Assim, em seu livro, Bernardo homenageava dois parentes ao mesmo tempo: o antepassado general e o pai poeta. Demonstrava que herdara de ambos o sentimento de nacionalidade, de um Brasil independente desde quando o dominador era Portugal. E transpôs esse ensinamento para sua obra, na ficção ou nas crônicas e peças documentais. De quebra, seguia uma linhagem ideológica que se expressava nas artes modernistas brasileiras de seu tempo.

É certo que essas ligações vinham de mais atrás, já de berço, de seu pai, que costumava ter em casa livros de autores clássicos nacionais e estrangeiros, em especial os portugueses. Era apaixonado por Eça de Queirós, a ponto de usar um monóculo ao estilo do mestre português e de ver na região de Corumbá de Goiás os cenários lusitanos do romance *A cidade e as serras*, por exemplo.

Mas ele separava a literatura da política. E gostava muito, com igual intensidade, da poesia do português Fernando Pessoa, de vários outros europeus e brasileiros, como Olavo Bilac, mas acima de todos Cruz e Sousa, mestre do Simbolismo no Brasil, como veremos mais adiante. E também dos romances dos franceses Honoré de Balzac e Gustave Flaubert, do brasileiríssimo Machado de Assis, e assim por diante.

O interessante é como ele, naquele isolamento do sertão goiano, conseguia livros e revistas literárias com relativa facilidade. A explicação mais plausível adotada por Bernardo é a tradição mercantilista da família, o que facilitava o acesso a livrarias das grandes cidades. Mas havia também uma forte carga de sabedoria, expressa na escolha dos autores e obras que seriam adquiridas.

O avô de Bernardo mantinha lojas comerciais em várias cidades de Goiás (Corumbá, Pirenópolis e na capital), Minas Gerais (Araguari), Paraná (Curitiba) e também em Belém do Pará, onde comprava borracha para exportação. Erico viajava pra esses locais com frequência.

Desde solteiro, quando ainda ficava mais na Cidade de Goiás que em Corumbá, Erico era o comerciante preferido dos ricaços dali. Talvez por seu jeito elegante, sempre trajando ternos de alfaiates do Rio de Janeiro, acompanhados de gravatas que lembravam algum pintor francês ou o poeta Charles Baudelaire, como dizia Bernardo.

Além disso, ele ostentava um ar intelectual, esbanjando cultura, o que reforçava essa aproximação. Assim, ele abastecia sua clientela não apenas com gêneros de quarto e cozinha, mas também com livros de literatura e ciência que lhe encomendavam. Consta que ele lia tudo antes de entregar aos compradores.

Com idade mais avançada, os filhos já crescidos, e trabalhando para seu pai, nas idas à capital paraense, Erico transportava o que podia por rios, primeiro pelo Araguaia, depois pelo Tocantins. De Belém, pegava um ita, aqueles navios de cabotagem da Companhia Nacional de Navegação Costeira, e ia pingando pelas capitais litorâneas, até o Rio de Janeiro.

Na capital dos brasileiros, era verdadeira festa. Ele fazia as compras de bens industrializados de que precisava pra manter os estoques das lojas e visitava livrarias. Ali, conversava com pessoas, consultava catálogos e comprava o que desse. Então, subia de volta por ferrovia até Araguari, em Minas, e de lá para a frente ia em lombo de mulas até Corumbá.

Pelos mesmos caminhos, pois, já no início da década de 1930, chegava a literatura nordestina, que havia entrado com desenvoltura nos centros editoriais de maior peso nacional, que eram São Paulo, em primeiro lugar, e Rio, logo em seguida. E esse era um pré-requisito: mesmo sendo regionalista, qualquer obra só ganharia o público nacional após o carimbo de "aprove" das editoras e da mídia desses centros.

A bagaceira, de José Américo de Almeida, publicado em 1928, havia destravado a porteira para a literatura rebelde que se produzia na região. Bernardo contava que esse livro teve muita influência sobre sua literatura, a ponto de ele ter cultivado grande admiração por Zé Américo, que mais tarde veio a conhecer pessoalmente.

Com o sucesso dessa obra, do centro da rebeldia, que era Recife, já despontavam também José Lins do Rego, Rachel de Queiroz e o baiano Jorge Amado. Era uma literatura de denúncia social, engajada, que buscava quebrar paradigmas em todos os sentidos, em uma ânsia de mudar a todo custo, "muitas vezes sem saber para que direção", no dizer do crítico literário Assis Brasil.[8]

A estrutura desse novo romance brasileiro era diferente, mais direta, menos rebuscada, mais agressiva, inclusive na escolha do vocabulário. Um palavreado tido com chulo, vulgar, de baixo calão até passava a ser empregado com naturalidade.

É certo que Bernardo era meio reticente quanto ao vocabulário, o que era compreensível até pelas diferenças regionais. Afinal, a linguagem do dia a dia de Ilhéus, Salvador ou Recife era bem diversa daquela utilizada nas cidades goianas de então. De qualquer modo, porém, esse debate transpunha as fronteiras brasileiras.

Muito respeitado por aqui desde bem antes da revolução de 1959 em seu país, o escritor e crítico literário cubano Alejo Carpentier escreveu, referindo-se a essa vertente literária na América Latina:[9]

> Advém o século XX — já anunciado antes do termo do anterior por uma modificação de voltas e de técnicas — e sucede um fenômeno que se faz merecedor de algum exame. Uma estranha amoralidade instala-se no mundo das letras americanas — sem que isso, por felicidade, nos prive da possibilidade de fazer uma boa lista dos que não se deixaram contaminar.

A rebeldia se fazia presente também, e com a mesma desenvoltura, no posicionamento político e ideológico. O romance *Cacau*, o segundo de Jorge Amado, surgiu em 1933 como um verdadeiro panfleto da causa operária. Era regionalista, na medida em que detonava as oligarquias cacaueiras baianas, das bandas de Ilhéus e Itabuna, onde Amado nasceu e cresceu.

Mas era ao mesmo tempo um texto universal, pois vinha na esteira do crescimento do movimento comunista que se espalhava mundo afora, inclusive no Brasil, de outros acontecimentos políticos e do mundo artístico. A Semana de Arte Moderna de 1922, em São Paulo, por exemplo.

Membros da Coluna Prestes na passagem por Goiás.

Bernardo era ainda criança quando ocorreram os movimentos militares que balançaram o Brasil, como a rebelião conhecida como Os 18 do Forte de Copacabana, no Rio, em 1922. E mesmo quando, dois anos depois, eclodiu a marcha dos chefes militares Luís Carlos Prestes e Miguel Costa, que passou por Corumbá de Goiás em suas andanças pelo país, levando a realidade brasileira até os sertões.

Coluna Prestes

Contudo, ficou marcada com força na memória do escritor a passagem da Coluna por ali. Por várias vezes, Erico juntou a família e algumas tralhas e foi se refugiar em casas de parentes ou amigos, na zona rural, ou na igreja. Fugia por causa de alertas de que as tropas rebeldes ou as legalistas estariam se aproximando de Corumbá, umas fugindo, outras perseguindo.

Era o movimento conhecido como Coluna Prestes, que usava esse nome por ter tido como principal comandante o capitão Luís Carlos Prestes, que alguns anos depois veio a ser secretário-geral do Partido Comunista do Brasil. E é figura marcante na história do Brasil.

Essa marcha nasceu no Rio Grande do Sul e em São Paulo e percorreu o Brasil com 1500 homens por dois anos (1924/26). Tinha como meta derrubar o governo do presidente Artur Bernardes e chamar a atenção dos brasileiros para a necessidade de mudanças estruturais no país. Mas não se alinhava com os ideais marxistas, então já bastante difundidos no país.

Quais eram as mudanças que defendia não estava claro. Mas, em seu percurso de 25 mil quilômetros, atraía o apoio de parte da população e a ira dos detentores do poder. Quando a Coluna entrou em Goiás, quem mandava no estado era o truculento senador Totó Caiado (Antônio Ramos Caiado).

Era o mais puro representante do coronelismo, que mantinha o estado atrasado, sem educação nem serviços sociais e com a economia baseada na pecuária extensiva. A miséria campeava solta, e os embates com inimigos políticos eram resolvidos à bala. Era com ele que a Coluna teria de se haver naquele território, em especial na parte onde Bernardo morava com sua família.

As portas de entrada em Goiás foram as cidades de Jataí e Rio Verde, tendo como rota o sentido norte, que bem poderia incluir Cidade de Goiás, então capital do estado. Anápolis, embora menor, era uma cidade mais central e foi escolhida como ponto de passagem obrigatório, por razões de logística.

É bom dizer que a Coluna não andava em fila única, no estilo de ordem unida, do um-dois, um-dois. Eram formadas várias frentes, que seguiam em um mesmo rumo, mas com comandos diferentes, e que ficavam distanciadas umas das outras, de modo a evitar possíveis ataques em bloco de inimigos.

Totó Caiado havia arregimentado oitocentos homens pra combater os rebeldes. No dia 14 de julho de 1925, ele, que morava no Rio de Janeiro, estava em Goiás para a posse de um irmão seu como presidente do estado. Porém, sabendo da ameaça iminente, a Coluna passou ao largo da capital, no sentido de Anápolis. E Caiado só soube depois.

Com seus vários flancos aproximados, a Coluna acampou a uns vinte quilômetros de Anápolis. Ali, um grupo de empresários locais procurou os líderes da marcha pra oferecer mantimentos e até dinheiro, desde que os rebeldes não invadissem a cidade.[10]

Ao mesmo tempo, porém, tropas federais já haviam chegado à cidade, sem sequer informar a Totó Caiado. Os próprios empresários se viram em dificuldades, depois, na tentativa de explicar que não apoiavam os tenentes e que estavam entre eles apenas pra se precaver.

O fato é que naquele ponto houve conflito. Um destacamento da Coluna, comandado pelo tenente Cordeiro de Farias, tomou de assalto um comboio de forças federais. Apanhados de surpresa, os legalistas até reagiram, mas acabaram batendo em retirada.

Houve uma morte e alguns feridos de cada lado, mas os rebeldes saíram com grande vitória, por haverem confiscado três caminhões, muitos equipamentos e grande quantidade de munição das forças federais.

As forças federais, comandadas pelo major Bertoldo Klinger, tinham muitos caminhões e muita arma, de modo que os rebeldes sabiam que não podiam ficar mais tempo por ali. E assim rumaram pra outras bandas, com diversas passagens por Corumbá.

Com vários parentes militares nas redondezas, inclusive um irmão de Erico e um tio de Marieta que eram coronéis do Exército, esses temas reverberavam ainda mais. A maior parte deles, como esses coronéis, tinha proximidade com o tenentismo, cuja orientação ideológica estava no positivismo. Eram, portanto, adeptos do ateísmo, como os comunistas.

Com o tempo, nas rodas de conversa, surgiam nomes que só bem depois Bernardo veio a saber quem eram. O principal deles era Auguste Comte, criador da sociologia como ciência e principal nome da corrente filosófica conhecida como positivismo. Essa vertente se contrapunha ao materialismo dialético de Marx e Engels, mas também enjeitava o determinismo divino na origem da vida e defendia o conhecimento científico como instrumento de previsão do futuro.

Era uma situação que poderia ser considerada normal, não fosse um detalhe: os três maiores legados dos portugueses àquela gente dos sertões goianos foram a língua portuguesa, a culinária e a religião católica. E muitas dessas conversas pouco cristãs se davam junto a portas de igrejas.

Na Revolução de 1930, que alçou Getúlio Vargas ao poder, no entanto, Bernardo já tinha 15 anos, já compreendia melhor o que se passava, como ele próprio relatou muitas vezes em seus escritos. Pra assumir o governo do estado, como interventor, foi indicado um filho da região, o médico Pedro Ludovico Teixeira, que exigiu que a capital saísse da Cidade de Goiás, então ainda denominada Vila Boa. Daí o surgimento de Goiânia.

Na literatura, no mesmo ano de *Cacau* e com o mesmo tipo de influência, apareceu *Caetés*, o primeiro romance do alagoano Graciliano Ramos. Era um escritor que se diferenciava dos outros por sua erudição. Aliás, ele se tornou escritor por causa dos relatórios que fazia quando era prefeito de Palmeira dos Índios e que eram publicados em jornais, chamando a atenção de literatos.

Com Graciliano, a escrita fácil, desprendida de José Lins do Rego e Jorge Amado, por exemplo, ganhava a companhia de um texto rigoroso no uso da língua portuguesa, embora tratando da mesma temática nordestina. Era, digamos, um jeito clássico de descrever aqueles cenários primitivos, mas com igual vigor, com acentuada dose de engajamento na causa dos fracos e oprimidos, contra o atraso dos coronéis e a ganância da burguesia emergente.

Tudo isso era assunto presente na casa de Erico, pois essas obras todas ali chegavam. Atento, Bernardo lia o que lhe caísse nas mãos e participava de debates que lhe fossem franqueados. Eram assuntos que ele foi aprofundando ao longo da vida, enquanto estudava e trabalhava, já na antiga capital e, depois, em Goiânia. Mas, em casa, no convívio diário, conversar propriamente sobre essa literatura não era nada comum. Aliás, era algo muito raro.

O desabrochamento

Bernardo contava que foi conversar mais longamente sobre esse tema com seu pai quando já tinha 18 anos. Era uma noite de Natal, e todos dali haviam ido à missa, menos eles dois. Então, ficaram conversando, e o papo enveredou por esse campo, o que provocou profunda boa impressão do filho sobre o pai, pois, segundo ele contou anos depois, nunca havia visto ninguém falar com tanta propriedade sobre literatura.

Foi também uma oportunidade de ele contar ao pai que andava escrevendo muitas coisas e falar de suas preferências, influências e o que lia desde criança. Lembrou até que certa feita havia lido algo de Anatole France entre os livros que apareciam em casa, e que tentou escrever algo meio parecido, mas desistiu, porque viu que o francês se apegava à sua profunda cultura pra divagar e que, assim sendo, era inimitável.

A verdade é que, para Bernardo, saía dali, dessa literatura moderna brasileira provinda do Nordeste, sua mais forte influência. A realidade do sertão goiano era muito parecida com aquela da Caatinga. A temática estava ali, candente, e a linguagem, a forma de contar aquela realidade, era a que mais lhe agradava, o que fica evidente em sua obra.

Homens agressivos, machistas e falando palavrões convivendo com mulheres normais, que também falavam bobagens, gostavam de bebidas alcoólicas e se prostituíam. Chefões da política maus e truculentos, religiosos nem sempre tão cristãos, e por aí vai.

A pesquisadora Gracy Tadeu da Silva Ferreira estudou o coronelismo em Goiás na República Velha (1889-1930) e abordou a influência desse período na literatura. A certo ponto, ela se refere a uma obra de Bernardo Élis:[11]

> No romance *O tronco*, Élis cria a trama principal, a partir de um fato histórico — o conflito ocorrido na

cidade do Duro (hoje Dianópolis). O coronelismo nesta obra é identificado com a violência, com a marca de sangue, através de um conflito envolvendo coronéis e o governo estadual. O que dá início à trama, baseada em fato real, é o inventário de Clemente Chapadense, nome fictício. Os personagens de Élis mesclam dados fictícios com caracteres reais; no romance, os personagens mais importantes são o coletor, o juiz, os coronéis Pedro Melo e Artur Melo, residentes no Duro, os juízes Hermínio e Calmon, enviados pelas autoridades goianas para presidirem a primeira e a segunda comissão, que haviam sido enviadas ao Duro para apurar os fatos e prender os coronéis.

Sobre esse aspecto da obra de Bernardo Élis, muitos anos depois, Enid Yatsuda Frederico, professora de literatura da Universidade Estadual de Campinas (Unicamp), na apresentação que fez pra um livro do escritor, escreveu:[12]

> Goiano não só porque nascido naquele estado, mas principalmente porque, de modo consciente — como convinha a um escritor engajado nas lutas sociais –, tomou a si a tarefa de revelar ao Brasil os desmandos praticados naquele "Goiás, onde não há o que não haja", segundo as palavras de Monteiro Lobato em uma carta a ele dirigida.

Mas, lá mesmo em Corumbá, naquelas conversas na beira de casa ou escadaria de igreja, com poetas e gente de gosto literário, surgia algo além dos cenários físicos. A vida não era apenas aquela das árvores retorcidas do Cerrado, dos casarões dos tempos dourados, das festas populares, dos trajes e adereços daquela gente.

Nisso, uma vez mais, a influência de Graciliano, de vasculhar o interior, a alma dos viventes, buscando descrever sentimentos e emoções, justificar ações e inquietações, fez-se presente tempos depois nesse terreno fértil que foi encontrar em Goiás. São elementos que já se fazem sentir nos contos de *Ermos e gerais*, o primeiro livro de Bernardo, de 1944. E têm a ver com a poética cultivada por seu pai.

De qualquer modo, esse livro de Bernardo foi muito mal recebido por grande parte da parentalha. Fizeram severas críticas ao autor "por haver exposto detalhes da vida em família", como se os personagens das histórias ali contidas fossem reais.

O que o salvou de um desgaste maior, ou até do recolhimento da obra, foi uma resenha crítica publicada em um jornal do Rio de Janeiro. Seu autor era Alceu de Amoroso Lima, com o pseudônimo de Tristão de Ataíde, que era um pensador católico muito lido e admirado pelos familiares. E ele tecia rasgados elogios ao livro.

O pesquisador Waldomiro Bariani Ortencio, amigo e colaborador de Bernardo, conta[13] que o mesmo ocorreu com outro de seus livros, o mais famoso, que foi escrito em forma de romance, com o título *São Miguel e almas*. De novo, houve enorme rebuliço entre membros da família do escritor, que o acusavam de contar histórias privadas, de modo que ele sustou a obra. Mas, outra vez, a paciência de Bariani ajudou o autor a refundir o texto, que foi transformado em vários contos e recebeu o nome de um deles, *Veranico de janeiro*.

Cabeludos beberrões

A atualidade de Erico nas letras, em verdade, vinha desde sua juventude. Como poeta, ele é apontado por historiadores da literatura como o introdutor do Simbolismo em Goiás, embora com muito apego também ao Parnasianismo de Olavo Bilac. O fato é que seu primeiro livro de poesias, o *Iluminura*, foi publicado pela editora Duprat & Comp., de São Paulo, ainda em 1913, dois anos antes de Bernardo nascer, portanto.

O Simbolismo foi uma tendência das artes nascida na França, na segunda metade do século XIX. Na poesia, tinha como suas marcas o intimismo, a religiosidade de influência oriental e a musicalidade. No Brasil, seu maior expoente foi o negro catarinense João da Cruz e Sousa, filho de escravos alforriados, que viveu de 1861 a 1898 e teve suas obras publicadas na França, com grande sucesso. Erico tinha grande admiração por ele, não apenas como poeta, mas também por suas posições políticas libertárias.

Mas, em Corumbá e outras cidades próximas, havia alguns declamadores românticos, com os quais o pai de Bernardo acabava entrando em choque, pois os ridicularizava, "inclusive" nas ruas, em público. Ocorre que aqueles "beberrões de longas cabeleiras", como ele dizia, eram filhos de gente fina, seus fregueses no comércio, e isso lhe causava problemas. Ele, contudo, pouco se importava.

O fato é que essas suas críticas provocavam certo mal-estar na cidade inteira, com bate-bocas em logradouros públicos, às vezes em versos e sempre ao som de alguma bandinha musical. Ainda em 1905, um daqueles cabeludos beberrões, de nome Joaquim Bonifácio, que fazia parte de um grupo chamado Os músicos zebrais, escreveu um poema cujo alvo era Erico. Era assim:[14]

Em um sereno
Senhores, não sou de barro
E muito menos de ferro!
Sou homem, por isso erro,
E muitas vezes me desgarro.

Mas vendo um vate o pigarro
Sacudir e o verbo perro
Soltar à gente num berro,
Era um sarau tão bizarro,

Perco a cabeça e me embirro
Com tal poeta cachorro,
Dizendo versos de enxurro...

Pra fugir-lhe, tusso, espirro
Chamo a polícia em socorro
e — mando prender o burro!...

Esse soneto foi declamado por anos a fio nas mais variadas ocasiões, até ser publicado em livro, em 1913, mesmo ano em que Erico publicou seu primeiro livro. Assim, Bernardo só veio saber da polêmica muitos anos depois. Mas, em muitos casos em que os versos de seu pai causavam problemas, ele vivenciou as consequências. Um foi aquele da escola que vimos mais atrás.

Em outra ocasião, porém, Erico atacou com certa virulência a empresa de energia elétrica da cidade, que era de um primo-irmão seu. Os versos eram tão ferinos que o sujeito não refrescou e cortou a luz da casa deles. A solução foi se contentar com o lampião a querosene, inclusive pra estudar à noite.

Nessas oportunidades, portanto, por vias transversas, a família toda era forçada a interagir com a literatura do pai; mas poucos ousavam criticá-lo ou pedir alguma moderação, pois ele se irritava profundamente.

Ele seguiu nessa toada, fazendo e publicando poemas sem nunca haver ganhado um tostão com eles mas enchendo sua vida de alegrias e confusões. Poesia, em verdade, era a essência de sua vida. Ele se orgulhava de ter boa saúde, sem nunca haver ficado sob cuidados hospitalares, até o dia em que, aos 85 anos, já cego de um olho por glaucoma, recebeu a notícia de um médico de que a doença o cegaria por completo. Foi pra casa arrasado, deitou e morreu.

Notas:

1. Élis, Bernardo. *A vida são as sobras*, Editora Kelps, Goiânia/GO, 2000.
2. *Idem.*
3. Cunha, Wilna de Jesus Coelho, *A oralidade na obra de Bernardo Élis*, Editora Kelps, Goiânia/GO, 1998.
4. Élis, Bernardo. *A vida são as sobras*, Editora Kelps, Goiânia/GO, 2000.
5. *Idem.*
6. Élis, Bernardo. *Marechal Xavier Curado — Criador do Exército Nacional*, Editora Oriente, Goiânia/GO, 1972.
7. *Idem.*
8. Brasil, Assis. *Graciliano Ramos*, Simões Editora, Rio de Janeiro/RJ, 1969.

9. Carpentier, Alejo. *Literatura e consciência política na América Latina*, Publicações Dom Quixote, Lisboa, Portugal, 1969.
10. Gomes, Horieste e Montenegro, Francisco. *A Coluna Miguel Costa/Prestes em Goiás*, Editora Kelps, Goiânia/GO, 2010.
11. Ferreira, Gracy Tadeu da Silva, *Coronelismo em Goiás: Estudos de casos e famílias*, Editora Kelps, Goiânia/GO, 1998.
12. Élis, Bernardo. *A vida são as sobras*, Editora Kelps, Goiânia/GO, 2000.
13. Ortencio, Waldomiro Bariani. Entrevista ao autor em abril de 2015, Goiânia/GO.
14. Élis, Bernardo. *A vida são as sobras*, Editora Kelps, Goiânia/GO, 2000.

Escritor na política

Desde muito jovem, Bernardo Élis percebeu que o viés político-ideológico sempre foi presente nas artes em geral e na literatura em particular. Nesta, talvez até com maior força, pelo poder que tem a palavra escrita. Também a participação política de artistas, inclusive os escritores, em movimentos, publicações, partidos e agremiações de todo tipo é algo corriqueiro na história da humanidade.

A capacidade de uso do raciocínio, das mãos e da fala é a característica que reforça a sensação de superioridade dos humanos sobre os demais animais e a natureza em geral. O desejo de se expressar nasceu com o próprio ser humano, que sempre buscou caminhos para extravasar seus sentimentos e opiniões.

Muito cedo, Bernardo aprendeu que, de forma consciente ou inconsciente, a manifestação artística traz consigo, além do sentido do belo, de sua estética, a ideologia já dominante ou que se pretenda afirmar em determinado meio.

O controle dos meios de difusão da produção artística é, por isso, uma forma de administrar a circulação do pensamento. A própria liberdade de imprensa é um conceito moderno, que no Ocidente nasceu no ano 1540, quando o alemão Johannes Gutenberg inventou a máquina impressora.

Trata-se do direito de possuir ou ter livre acesso a uma máquina de imprimir um jornal, um panfleto ou um livro. Nada tem a ver com o conteúdo do que será impresso, que aí já é da esfera da liberdade de expressão. A rigor, nenhuma das duas nunca existiu plenamente.

Um exemplo clássico, no Brasil, é o de Hipólito da Costa, que em 1808 criou o jornal *Correio Braziliense,* o primeiro jornal livre do Brasil, editado em Londres e enviado para cá clandestinamente. Seu objetivo era apenas manifestar ideias, com um enfoque literário. Não se tratava de luta contra a Coroa portuguesa, nem ele queria derrubar o Império. Queria apenas o direito de publicar textos. Mas não podia, porque a máquina impressora e o papel eram monopólio do estado.

Em verdade, no Brasil esse monopólio estatal do papel varou séculos e foi mantido até outro dia, na Constituição de 1988. Ou seja, pra se editar um jornal, uma revista ou um livro, era preciso ter autorização do governo de plantão para a aquisição do papel. E, na radiodifusão, ainda hoje os canais são usados por concessão estatal.

O consolo é que, no mundo todo, mesmo nos Estados Unidos, foi demorada a luta pela liberdade de imprimir, a

Levante trabalhista dos 300 mil, São Paulo, 1953.

liberdade de imprensa, em sua fase ainda rudimentar. Lá também os estados, cada um com normas próprias, mantinham o monopólio das máquinas impressoras e do papel de imprensa, ou papel-jornal, cedendo direitos apenas a quem interessasse aos detentores do poder.

Independentemente do controle dos estados, mundo afora sempre houve disputa pelo domínio dos meios de comunicação de massa e das editoras de livros. O exemplo mais citado é o do Movimento Sionista Internacional, defensor da existência de um estado judeu, cujos membros mais endinheirados sempre investiram no controle desses meios. Mesmo na história do Brasil, há centenas de exemplos.

Igrejas de diversas orientações também se apoiam em artistas para difundir suas crenças. O próprio Bernardo Élis dizia ter sofrido alguma inspiração de Ariosto Palombo (1896-1984), um escritor espírita que usava o pseudônimo de João de Minas. Seus textos eram bastante fortes, muitas vezes com incorreções gramaticais ou ortográficas, mas de conteúdos muito próprios.

Bernardo Élis na meia-idade.

Segundo Bernardo, esse sujeito tinha "profundo conhecimento da vida do roceiro, da psicologia do roceiro". Os livros dele eram difundidos em profusão por meio de centros kardecistas no Brasil inteiro e em outros países. Uma clientela fechada, embora muito numerosa.

Também nesse caso, era um sistema de impressão e difusão dirigido. Para nos restringirmos ao campo da literatura, como se sabe, portanto, o dono de uma editora incentiva a publicação de livros que combinem com suas ideias e impede a edição dos que sejam contrários a elas. É simples.

Por analogia, fazendo um parêntese, podemos ampliar esse mesmo sistema para todos os meios de comunicação, embora com escalas econômicas bem diferentes, por questões de custos de produção. Produzir cinema na época áurea de Hollywood, por exemplo, exigia investimentos gigantescos.

Mas os filmes ali produzidos foram os principais agentes de difusão do estilo de vida e da ideologia dominante nos EUA, como se fosse o ideal para toda a humanidade. Isso teve papel crucial no período da Guerra Fria contra a União Soviética e demais países comunistas, que se dava em grande escala por meio da propaganda, como bem lembrava nosso autor.

Ao mesmo tempo, movimentos de outra natureza podem exercer um controle igual ou parecido sobre os meios de edição. Por exemplo, na primeira metade do século passado, no Brasil, o Movimento Comunista, mesmo com seu partido na ilegalidade, conseguia ter o controle ou forte influência sobre editoras. Estas não conseguiam, em tempos de censura, publicar obras de propaganda explícita, mas tinham uma ampla margem de manobra na escolha de temas e de autores.

Na literatura, a qualidade estética do produto oferecido, que é onde está o valor do artista, tem que ser levada em conta. Se a triagem não for feita pelo autor e editores, ela ocorrerá naturalmente por seus receptores, que são os leitores.

Muita coisa publicada desaparece como uma pluma ao vento, sem que ali adiante se ouça sequer falar da obra ou de quem a escreveu. Seja qual for a mensagem que se queira passar adiante, a obra só será aceita se tiver um padrão técnico e artístico de nível elevado. Criatividade e domínio da linguagem são apenas dois dos requisitos necessários.

Mesmo em formas artísticas bem populares, como a literatura de cordel, por exemplo, essa triagem é feita com bastante rigor. O leitor ou ouvinte de cordel não quer saber de porcarias. Mas o escritor desse tipo de literatura passa por longo aprendizado dentro da própria família ou comunidade, de modo que, quando apresenta seu trabalho ao público, o artista tem noção da qualidade do que está mostrando.

Em seu livro *A poética do improviso*, o antropólogo João Miguel Sautchuk explica esse processo:[1]

> Os folhetos de cordel, escritos quanto ao seu modo de composição, podem ser orais quanto à propagação e fruição — visto que eles costumam ser declamados, e não apenas lidos. Muitas modalidades de estrofes utilizadas na cantoria são também comuns no cordel, que compartilha com a cantoria as mesmas regras de métrica e rima. Muitos cantadores afirmam uma superioridade da cantoria sobre o cordel, argumentando que fazem de improviso algo que os cordelistas necessitam de mais tempo para escrever, e que, por isso, todo cantador seria também capaz de fazer cordéis. Não é verdade: o cordel exige a habilidade de criação de uma narrativa extensa com "começo, meio e fim", um sentido e uma moral da história.

Pois bem, isso tudo serve pra que nos situemos com maior clareza no mundo da literatura da época em que Bernardo Élis se projetou nacionalmente. Desde criança praticamente, até por influência do ambiente em que vivia, como já vimos, ele se interessava por escrever. E tentava entender que mundo era esse, de tanta magia.

Ele seguiu os estudos escolares formais, virou advogado e professor, mas seu objetivo na vida era ser escritor. Sempre se preparou pra isso. Contudo, ele era extremamente tímido, recatado, envergonhado até; características que, por certo, dificultariam com severidade sua inserção nesse mundo encantado, o que de fato ocorreu.

Agito estudantil

É certo que desde muito cedo, também, Bernardo sentia forte necessidade de se afastar do pensamento reinante no meio da parentalha. Era gente que fazia parte da classe dominante de Corumbá e Cidade de Goiás, cidades onde vivera. Com a ajuda das leituras que lhe eram franqueadas, ele havia formado uma postura crítica em relação àquela sociedade.

Ainda no Liceu de Goiás, na antiga capital do estado, ele e um grupo de colegas criaram um grêmio literário que editava um boletim em que Bernardo publicava seus poemas e debatia literatura e política. Entre leituras de Victor Hugo, Tolstói, Balzac e tantos outros ícones da arte de escrever, eles debatiam a realidade brasileira. Usavam a leitura pra entender o mundo em que viviam. Pra ajudar, liam também obras de teoria política, em que eram presentes autores marxistas.

O Liceu era um colégio público, o mais respeitado, a maior referência educacional de Goiás por décadas. Destacava-se não apenas pela qualidade do ensino, mas também por preservar uma atitude democrática, distanciada da influência da Igreja Católica de lá, que se esmerava em bisbilhotar todas as escolas.

As melodiosas batidas de seus sinos anunciando início e término das aulas eram momentos meio solenes na cidade. Eram de igual modo ouvidas atentamente as manifestações de seus alunos e professores em favor de alguma causa; mas com certa apreensão. O suave badalar, cheio de certezas, dava lugar a indagações.

Com a construção de Goiânia, o colégio foi transferido ao enorme canteiro de obras, mas logo perdeu a posição de referência política para a Faculdade de Direito da Universidade Federal. Bernardo pegou todas essas fases. Estudou, portanto, no Liceu da Cidade de Goiás e, depois, em Goiânia. Em seguida, foi cursar direito e, de quebra, apegou-se à Escola Técnica Federal e voltou à faculdade como professor.

Já havia uma tendência natural que o puxava para a banda da esquerda nas posições políticas e ideológicas. A vida em Goiânia, durante os estudos, seguiu provocando tensão nesse sentido. Ao chegar em definitivo à nova capital do estado, a cidade estava em plena construção, com seus belos traçados, avenidas largas e bem arborizadas, uma arquitetura moderna, encantadora.

Mas ele deparou, também, com a agitação política da época. Corria o ano de 1939, e o governador era Pedro Ludovico Teixeira, que, na Revolução de 1930, sob o comando de Getúlio Vargas, havia pegado em armas contra a oligarquia dos Caiado, que mandava na capital e em toda atividade econômica e política goiana até então.

O fato é que, assim, Goiás havia sido o único estado em que houve resistência armada das oligarquias às forças revolucionárias; mas estas tinham apoio popular, inclusive do Liceu. Ludovico morava em Rio Verde, no sul do estado, onde exercia a medicina, e ali agrupou 120 voluntários em apoio à revolução. Foi preso pelas tropas contrarrevolucionárias dos Caiado, mas posto em liberdade logo em seguida, quando chegou a notícia da vitória do movimento de Getúlio Vargas no plano nacional.

Ele aceitou a missão de assumir o governo do estado, por nomeação de Vargas, mas desde que a capital mudasse de lugar, pois não governaria com os Caiado por perto. Assim nasceu Goiânia, inspirada e construída por um filho da Cidade de Goiás. E ele virou herói, prometendo arrebentar as oligarquias, fazer a reforma agrária e, enfim, mudar a cara de Goiás.

Em uma primeira fase, Ludovico ficou no governo até outubro de 1933, quando assentou a pedra fundamental da nova capital. A data é comemorada como aniversário da cidade, mas as obras mesmo demoraram ainda alguns anos pra engrenar. De todo jeito, o novo governador instalou seu gabinete no canteiro de obras, mas só assinou o decreto de transferência em 3 de março de 1937, quando voltava ao poder.

Após idas e vindas como deputado constituinte em 1934, eleito de novo em 1936, no golpe que implantou o Estado Novo, em 1937, Vargas o nomeou governador novamente. Mas sucedeu que, além da natureza autoritária do novo regime, o governo brasileiro se aproximou da Itália fascista e da Alemanha nazista no período que antecedeu a II Guerra Mundial.

No entanto, as forças progressistas de Goiás, cuja voz reverberava no Liceu e na Faculdade de Direito, foram às ruas combater essa aproximação, exigindo a entrada do Brasil com as forças Aliadas, contra o fascismo, na guerra que se aproximava. E Bernardo era parte dessas agitações.

Portanto, se por um lado havia os bons fluidos de uma cidade em construção, por outro estava latente uma

Guerrilheiros do movimento liderado por Zé Porfírio em Formoso e Trombas de Goiás.

insatisfação quanto ao regime de força que se implantara no país. Com uma grande contradição a mais: Pedro Ludovico era o representante do regime de força no estado, mas, ao mesmo tempo, era muito querido pela maioria da população, por conta de suas posições no período revolucionário e da coragem de construir uma nova capital.

Formoso e Trombas

Naqueles anos, o governo federal implantou a política da "Marcha para Oeste", que propunha a ocupação das "terras sem homens" de Goiás e Mato Grosso. Pelo lado oficial, foi implantado um projeto de reforma agrária que deixou suas marcas para sempre, embora limitado.

Era o da Colônia Agrícola Nacional de Goiás, que à época chamou a atenção do país inteiro e deu prestígio ao governo por bom tempo. Afinal, dava a entender que a promessa revolucionária de promover uma reforma agrária no país estava sendo cumprida. Doce ilusão.

De todo jeito, em uma área do centro-norte do estado, em pouco tempo já havia perto de 4 mil famílias assentadas em glebas de trinta hectares. Os colonos recebiam sementes e outros insumos, e havia postos médicos, escolas e assim por diante, sob gestão do governo estadual.

A sede do projeto se chamava Ceres, a deusa grega da agricultura. E, com o tempo, ali surgiu o município de mesmo nome, que em 2014 tinha 25 mil habitantes, mantendo forte produção agropecuária. Chegou, no entanto, a ter pelo menos três vezes esse número de habitantes, em um processo crescente por muitos anos, atraindo gente ávida por um canto de onde tirar a subsistência.

No entanto, o projeto tinha esse limite de lotes a distribuir e parou por aí. Era filho único de mãe solteira. Só que a propaganda em torno do empreendimento atraiu muito mais gente, procedente principalmente da região Nordeste.

Boa parte desses migrantes foi ocupando terras mais ao norte do estado, na região dos municípios de Uruaçu e Santana (hoje Porangatu), próximo de onde estavam as vilas de Formoso e Trombas. As posses eram repartidas pelos próprios ocupantes, em lotes pequenos, de até trinta hectares.

Ocorre que a valorização das terras, com a abertura de estradas rodoviárias, atraiu também grandes proprietários, que passaram a grilar áreas enormes. Expulsavam na marra os posseiros recém-chegados, que se juntavam aos que lá já moravam. Essa situação se agravou ainda mais a partir de 1956, com o início da construção da rodovia BR-153, mais conhecida como Belém-Brasília.

Os grileiros de terras contrataram jagunços armados, e o terror se implantou na região, com violência e mortes a todo instante. "Arrancar os carrapatos" era a maneira com que a jagunçada se referia a seu trabalho. "Carrapatos", claro, eram os camponeses ocupantes de terras cobiçadas pelos grileiros.

A referência daqueles povoados era Corumbá de Goiás, como nos contou, em 1978, o posseiro José Ribeiro da Silva, conhecido como Zé Ribeiro, de quem falaremos mais adiante. Ele explicava:[2]

> As estradas, desde as primeiras estradinhas que fizeram por aqui, tiveram muita influência em determinadas circunstâncias. Isso porque, antes, isto aqui não valia

nada. Há pessoas que entraram aqui há quarenta, cinquenta anos e ainda estão por aí. Os Mateus e o pessoal do Salu, por exemplo, que faziam comércio em Corumbá. Iam em tropas, levando couro, peles e outras coisas para vender lá em Corumbá. E traziam sal, remédios e coisas para poder passar por aqui durante as águas, a época de chuvas.

Já no início da década de 1950, o assunto acabou envolvendo o Partido Comunista e seu militante Bernardo Élis, um corumbaense que conhecia o drama por que passavam aqueles viventes.

O camponês maranhense José Porfírio de Souza, o Zé Porfírio, havia passado pelo oeste da Bahia, e depois de enjeitado no projeto de Ceres, virou posseiro em Trombas. Por diversas razões, inclusive a de já ser alfabetizado, ele se tornou líder daquela gente. Sob seu comando, com diplomacia, eles formavam grupos pra irem a Goiânia pedir socorro ao governo estadual; mas, que nada!

Ao contrário, a Polícia Militar do Estado participava de ações ao lado dos jagunços, ameaçando, prendendo e até matando posseiros. Certa feita, ao voltar de uma dessas viagens, Porfírio deparou com sua casa em chamas e sua mulher e filhos apavorados, escondidos nos cerrados ao redor. Foi a gota d'água.

Ele, então, liderou a formação da Associação dos Trabalhadores Agrícolas de Formoso e Trombas, uma verdadeira força armada de resistência. Militantes nacionais e estaduais do PCB participaram desse processo, e Zé Porfírio foi filiado ao partido. Também houve aproximação da Ação

Popular, organização da esquerda cristã, que tinha no padre Alípio de Freitas uma figura central favorável à luta armada.

Zé Ribeiro, de quem falamos ali atrás, sobrevivente das contendas e morador de Formoso, havia sido o segundo na hierarquia da associação, que funcionava com bastante capilaridade, com ampla participação de todos os posseiros. Ele mesmo contou como era[3]:

> Era um sistema de conselhos, porque a região era muito grande. Então, em cada uma ou duas léguas havia um conselho, com sua diretoria. Em cada área, o conselho é que era a autoridade, resolvia todos os problemas que surgiam dentro dela. E havia o Conselho Geral, que correspondia a uma assembleia geral. A cada assembleia vinham dois ou três representantes de cada conselho, que se reuniam em Trombas, onde era a sede, e as decisões eram obrigatórias para todos.

O conflito armado se instaurou em definitivo na região, a ponto de os camponeses ocuparem as duas vilas, onde montaram bases pra um embate prolongado. A mídia nacional batizou o movimento de República de Formoso e Trombas. E a contenda perpassou todos os governos até a década de 1960.

Bernardo foi para lá movido apenas pela intenção de escrever a história da luta, segundo relatos dele mesmo. Durante sua estada, com letras bem miúdas, ele preencheu cinco grossos cadernos com anotações de repórter aplicado. Logo em seguida, porém, vieram as eleições de 1960. Nelas, Zé Porfírio se elegeu deputado estadual pela sigla do Partido Trabalhista Brasileiro (PTB), em coligação com o Partido Socialista Brasileiro (PSB). A situação mudou.

Como governador, foi eleito Mauro Borges Teixeira, filho de Pedro Ludovico, mas tido como de esquerda. Logo ao assumir, ele iniciou negociações com Porfírio e, menos de um ano depois, distribuiu perto de 20 mil títulos provisórios de terras aos camponeses revoltosos. Eles gostaram, até aplaudiram na solenidade oficial de entrega, mas não depuseram armas, pois a regularização ainda dependia de burocracias.

Bernardo nunca escreveu a história. Sempre que alguém lhe indagava sobre o caso, ele alegava haver perdido os cadernos com as anotações em suas andanças pelo estado. Ocorre que, no mesmo período, houve o congresso nacional do PCB, que oficializou um racha no partido, que mudou seu nome para Partido Comunista Brasileiro, com a mesma sigla.

No entanto, uma parte daqueles militantes que haviam participado da revolta de Formoso e Trombas ficou com a ala dissidente, que manteve o nome Partido Comunista do Brasil, mas com a sigla PCdoB. E Bernardo se manteve ao lado da ala mais numerosa do antigo PCB, que ganhou o apelido de "Partidão" e era contrária à luta armada.

Após o golpe de Estado de 1964, que instituiu a ditadura, os títulos de posse de terra foram anulados, e Zé Porfírio teve seu mandato cassado e fugiu. Mas acabou sendo preso, passando seis meses em cela do Pelotão de Investigações Criminais do Exército, o tenebroso PIC, em Brasília.

Ele foi visto por uma advogada no dia em que foi posto em liberdade, a caminho da morte. Ao voltar pra Goiânia, foi pego de novo e sumiu. Hoje, seu nome consta da lista de desaparecidos da ditadura militar.

O comunista

Mas, lá atrás, ainda aos vinte e três anos, Bernardo tinha, ele próprio, um bocado de contradições a administrar. No Liceu, simpatizava apenas com um professor, que, embora lecionasse matemática, emprestava livros de áreas diversas aos alunos mais interessados.

Foi assim que, ao ler textos de Freud, por exemplo, tomou esclarecedor e inquietante contato com um tema que era um enorme tabu em sua casa, na família toda e na própria escola: o sexo. Ao mesmo tempo, esse mestre lhe emprestou livros sobre teoria marxista, "uma doutrina que falava de um mundo vivo, atual", como diz Bernardo em seus escritos.

Isso tudo se somava a seu apego à literatura, que vinha desde a infância, por influência do pai. Ele lembrava que, no começo, tentava imitá-lo, compondo poesias também, mas as suas eram meio abstratas, menos simbolistas, com certo influxo do Concretismo que vinha da Semana de 22. Durante sua vida, em várias ocasiões, ele disse não se considerar poeta. É o caso desta entrevista:[4]

> Não desisti da poesia, mas não me julgo poeta. A minha poesia, desde o começo, é prosaica. Fazia poesia porque estava em moda fazer poesia. Tenho dificuldades em certos aprofundamentos subjetivos.

Na prosa, contudo, buscava inspiração em outros autores, como ele próprio contou, em outra ocasião:[5]

> Também tentava imitar aquelas obras que se afinavam com a minha visão de mundo, para explicar a mim

mesmo certos aspectos que me pareciam estranhos no mundo e nos homens e para externar sentimentos, emoções, expressões inibidas por minha timidez.

De quebra, tinha que dar seguimento aos estudos formais e, ao mesmo tempo, arranjar algum ganha-pão, pois já não estava mais na casa dos pais nem dos avós. Tinha que garantir sua sobrevivência por conta própria.

O que ele queria mesmo, como sempre deixou claro, era usar Goiânia como trampolim para chegar ao Rio de Janeiro, onde pretendia tocar sua vida do jeito que quisesse, como muitos de sua geração haviam feito. Antes, porém, precisava ganhar algum dinheiro pra custear a viagem e a permanência em solo carioca por algum tempo, até arranjar um meio de subsistência por lá.

Por meio de alguns conhecimentos que já tinha no ramo cartorial, ele conseguiu implantar o Cartório de Crime em Corumbá, do qual seria o titular, por nomeação de autoridade competente. Montou a estrutura e trabalhou duro por quase um ano, mas nada da tão sonhada redenção financeira que lhe daria o passaporte ao Rio.

O dinheiro que entrava mal dava pra cobrir suas despesas, e o desespero já batia forte. Mas, nisso, surgiu um convite pra compor a assessoria da prefeitura de Goiânia, que ele aceitou de pronto. E retomou os estudos na Faculdade de Direito, que viria a integrar a Universidade Federal de Goiás (UFG), muitos anos depois.

O trabalho na prefeitura, que o colocou brevemente no cargo de prefeito por duas vezes, restringia um pouco sua atividade política. Contudo, abriu portas pra ele escrever artigos e crônicas, pequenos contos e até poesias em jornais que surgiam na capital. Isso deu visibilidade a seu nome e chamou a atenção da intelectualidade local.

Assim, logo foi convidado a participar de um grupo que pretendia tocar algum projeto cultural, e dali surgiu a revista *Oeste*, que durou 23 edições, de 1942 a 1944. Era um veículo político-literário, que desde o início abrigou a colisão de escribas marxistas com partidários do regime de Vargas. Estes controlavam a revista, pois ela era financiada pelo governo estadual.

Segundo o jornalista Isanulfo Cordeiro, que foi um dos mais íntimos amigos de Bernardo, a revista era considerada chapa-branca, pela influência que o governador Pedro Ludovico exercia sobre ela:[6]

> Ele (o governador) acompanhou desembaraçadamente a trajetória inteira da *Oeste*. Lendo-a hoje, observa-se seu dedo integralista em editoriais, notas sociais e até ensaios filosóficos, todos de exaltação a Getúlio e a Pedro.

De qualquer modo, Bernardo escreveu pequenos contos, poemas ou crônicas em quase todos os números da revista e se meteu em boas discussões com os colegas editores e com o próprio Ludovico. Ele teve que engolir muitos sapos, mas, naquele momento de sua vida, via ali o único caminho pra divulgar seus escritos.

Pelas pessoas envolvidas, essa atividade acabou rendendo também a abertura de portas que tiveram grande importância em sua trajetória a partir dali. Manuel das Neves Peixoto, do grupo da *Oeste*, era um poeta originário de Cataguases (MG) e tinha bons contatos com Manuel Bandeira, Drummond,

Mário de Andrade e outros renomados das letras nacionais, aos quais apresentou alguns dos novos amigos goianos.

Com esses contatos, Bernardo chegou a ir ao Rio de Janeiro por duas vezes, em 1942. Na primeira, tinha por objetivo fazer um curso de cooperativismo, mas levou textos originais debaixo do braço, na esperança de que alguma chance lhe aparecesse. Contudo, não teve coragem de mostrá-los a ninguém.

Por mais que sentisse valor nas amizades que ali fizera, ele não deu conta de se adaptar àquele jeito de viver. O glamour e o vaivém do Rio eram muito pra ele. Pra completar, na segunda e derradeira vez que lá esteve, que durou alguns dias apenas, pegou uma forte gripe e pediu socorro a um primo seu que era estudante de medicina.

Enquanto preparava os medicamentos, o rapaz repetia em voz alta, de um jeito ameaçador, que "a cada segundo morre um tuberculoso no Rio", "a cada segundo morre um tuberculoso no Rio...". Foi a deixa: três dias depois, ainda tossindo e espirrando muito, Bernardo pegou o trem de volta a Goiás.

Todavia, em Goiânia, também fazia parte do grupo da revista o professor universitário Cristiano Cordeiro, um dos fundadores do Partido Comunista do Brasil (PCB) em Goiás, e este atraiu Bernardo pra suas fileiras. Em verdade, ele procurava algum tipo de militância organizada já fazia um bom tempo, de modo que o convite foi muito bem-vindo.

Ademais, Luís Carlos Prestes, que havia deixado de ser tenente positivista pra virar dirigente nacional da agremiação comunista, era figura memorável no estado, por causa das perambulações da Coluna por ali, em 1925. E muitos dos grandes escritores do país, como Zé Lins do Rego, Jorge Amado e Graciliano Ramos, eram notórios seguidores do partido. Motivos de sobra para o engajamento, pois.

Goiânia, na década de 1950.

Batismo Cultural

Ainda em 1942, ocorreu em Goiânia outro evento que marcou a história da cidade e de sua população, inclusive Bernardo. Batismo Cultural de Goiânia foi o nome dado ao acontecimento, uma espécie de inauguração da cidade, que contou com o apoio de Deus e todo mundo e a presença de quase 2 mil convidados ilustres, entre eles o então presidente da República, Getúlio Vargas.

Era a primeira vez que Vargas ia a Goiás, onde era idolatrado, e assim reforçava ainda mais o prestígio do interventor Ludovico. O presidente não era apenas mais um entre 1.633

outros brasileiros e 140 estrangeiros convidados, pois, claro, capitalizou a festa. Esses números se referem ao dia 5 de julho, data central, mas o Batismo durou de 1º a 10 daquele mês.

A cidade já tinha uma população de mais ou menos 14 mil habitantes, e o nome dado ao evento tinha a intenção de marcar a capital goiana como um centro cultural do país. O pesquisador Bariani Ortencio tem uma explicação pra essa escolha:[7]

> Por que uma cidade cultural? Devido à má fama de refúgio de bandidos: "Matou em São Paulo, matou em Minas Gerias, fugiu para Goiás". Tanto é que as ruas do centro da cidade foram todas numeradas e não houve rua 38 e nem 44, por serem calibres de pistoleiros. Coincidência ou ordem?!

Sem dizer isso explicitamente, Ludovico e seus colaboradores pensavam em algo como uma versão goiana da Semana de Arte Moderna de São Paulo, vinte anos depois. Por seu tamanho, com a participação do presidente da República, o evento conseguiu algum espaço nos jornais de outros estados, especialmente do Rio de Janeiro e São Paulo, mas sem grande impacto.

No afã de colar a marca de capital cultural à cidade, na presença de Vargas, foram inauguradas as sedes do Teatro Goiânia e da Escola Técnica Federal, além de praça com coreto e outras instalações. Cartões-postais de Goiânia até nossos dias.

Houve cavalhadas, ranchos, muita dança de catira, comidas e brincadeiras. Bernardo participou dos eventos, sem ainda prever que, logo em seguida, seria nomeado professor da Escola Técnica, que se tornou o mais destacado centro de ensino do estado por muitos anos.

Bernardo sempre dizia que não teve participação nenhuma na preparação daquele evento. Com tanto povo nas ruas naquele dia, entre os locais e visitantes, ele era apenas mais um na multidão. De todo jeito, porém, ao longo dos anos, quando algum jornalista ou gente da Academia queria escrever algo sobre o Batismo, ia ao encalço dele.

Ele sempre deu a opinião de que Goiânia precisava de uma chacoalhada como aquela, porque a cidade já havia se consolidado, mas era um vazio do ponto de vista da cultura. Por isso o apoio maciço que o Batismo teve. Ninguém na oposição teria coragem, ou vontade, de ser contra.

Solícito, Bernardo sempre dava atenção a quem lhe indagasse sobre o tema e mostrava uma poesia que havia feito em homenagem àquele acontecimento. O poema tem um título longo e sugestivo e é dedicado ao prefeito de Goiânia na época, que era seu amigo. É assim:

Batismo cultural de Goiânia — visto do lado do povão
Para Venerando de Freitas Borges
Na campina sibilava
regelada ventania
e mais fria ainda ficava
aquela manhã já fria.

E entre poeiras e névoas,
naquela extensão vazia,
estendiam-se os traçados
dos logradouros de um dia,

palácios, alguns sobrados,
avatar de moradias.

No altar drapejavam
fanfarras e cantorias,
roupa nova, pé doendo,
rapadura e picolé,
o povo se divertia
nessa nova romaria.

Na mão outrora vazia,
agora o escritor goiano
trazia a revista *Oeste*,
que nessa data nascia.

Estrondava o foguetório,
na missa o bispo benzia,
poeira, alegria, festa,
padre-nosso, ave-maria,
naquela manhã de julho,
que tanto frio fazia.

O escritor

A essa altura, Bernardo já havia concluído *Ermos e gerais*, seu primeiro livro de contos, que foi premiado em um concurso da prefeitura de Goiânia, o que assegurava a publicação da obra. Em verdade, segundo intelectuais que participaram do evento, foi um concurso criado com a finalidade de promover Bernardo Élis, embora depois tenha ajudado muitos outros novos autores.

O fato é que, como ele voltara do Rio sem acertar publicação nenhuma, o prefeito Venerando de Freitas Borges, seu amigo e admirador de seus escritos, criou o prêmio Hugo de Carvalho Ramos. Apenas dois livros foram inscritos, e a comissão julgadora, formada por pessoas de reconhecida qualificação, escolheu *Ermos e gerais* pra ser publicado.

Os originais foram enviados a São Paulo, e o livro foi impresso pela empresa Revista dos Tribunais, que fazia o papel de gráfica apenas. Ao sair, em setembro de 1944, a obra foi distribuída apenas às livrarias de Goiânia, mas espraiou-se de mão em mão pelos grandes centros literários do país e foi muito bem recebida por autores renomados de São Paulo e Rio.

Alguns deles, como Monteiro Lobato, Mário de Andrade, Alceu Amoroso Lima e Guimarães Rosa, escreveram textos elogiosos, que foram fartamente divulgados. A opinião de gente desse calibre tinha forte repercussão nos meios culturais do país inteiro.

Nascia, então, o escritor Bernardo Élis.

Do mesmo modo, crescia o papel do militante político, pois ele se engajou ainda mais nas lutas pela redemocratização do Brasil e pela organização do PCB no estado. Com o fim da Segunda Guerra e do regime de Vargas, no ano seguinte, o partido foi legalizado e se preparou pra participar das eleições da Assembleia Nacional, que elaborou a nova Constituição Federal.

No país, os comunistas elegeram uma poderosa bancada de um senador (Prestes) e treze deputados federais, dentre os quais o baiano Jorge Amado. Em Goiás, na ocasião, Bernardo saiu candidato a deputado federal e, no ano seguinte, tentou vaga na Assembleia Legislativa estadual, mas não conseguiu se eleger em nenhum dos casos. De todo jeito, já em 1947, o PCB caiu de novo na ilegalidade, e todos os mandatos foram cassados.

Quando ele ingressou no partido, foi logo guindado à direção regional como secretário de Agitprop (Agitação e Propaganda). Era o setor que cuidava da produção de textos, publicações, peças de propaganda e da agitação de rua, em manifestações, comícios, pichações de muros e por aí afora. Editava o jornal *A voz do povo*, porta-voz do partido no estado, como uma das tarefas.

Mas ele participava, também, de atividades de proselitismo, de divulgação das ideias do partido em áreas de grandes plantações de arroz e cana-de-açúcar, por exemplo, em que fazia reuniões com trabalhadores. Isso aprofundou seus contatos com a penosa realidade daquela gente e mudou um bocado seu jeito de ser. Por um lado, fez que ficasse mais aberto, mais conversador, por exemplo.

Contudo, por outro lado, havia, digamos, uma face mais complexa da atividade partidária. Quando o livro *Ermos e gerais* já estava na rua, foi realizada uma reunião específica para discutir a obra e criticar o autor, que era acusado por camaradas de não passar de um "pequeno-burguês rebelde", em vez de ser um "escritor verdadeiramente revolucionário".

O debate estava bem aquecido, pois havia acabado de ocorrer o I Congresso Brasileiro de Escritores, promovido pelo partido, que havia aprovado uma Declaração de Princípios. O documento definia o que seria uma literatura proletária, nos moldes do que diziam ser na União Soviética de então.

Havia uma posição que não era majoritária, mas era uma forte corrente: como diziam seus textos, "a Literatura não deve apenas denunciar injustiças sociais, mas ir além, apontando caminhos para mudanças na sociedade".

No entanto, Bernardo conhecia os escritos de Marx e Engels sobre o tema, que pregam a liberdade criativa do artista, já que o real se exprime por si mesmo. Sabia, pois, que aquela posição de companheiros de partido não encontrava respaldo na teoria marxista.

Ainda assim, ao final do ativo, como são chamadas essas reuniões temáticas, ele propôs escrever um ensaio intitulado "Ermos e gerais: um passo atrás na literatura goiana". E, no texto que fez, dizia reconhecer que seus contos não conectavam aquela situação que denunciava com a luta geral do proletariado. Pouca gente conhece essa autocrítica, ao passo que o *Ermos e gerais* original é sua obra mais publicada.

Coincidência ou não, ele se meteu com vigor ainda maior nas atividades políticas, só voltando a publicar um novo livro nove anos depois, em 1953. É o *Primeira chuva*, uma coletânea de poesias que fazia desde a juventude, uma obra que não chegava nem perto de seus escritos em prosa, como ele mesmo reconheceu inúmeras vezes no decorrer de sua carreira.

Dois anos depois, porém, ele publicou *O tronco*, um poderoso romance baseado em conflitos reais ocorridos na localidade de São José do Duro, hoje Dianópolis, na divisa norte de Goiás (hoje Tocantins) com a Bahia.

A terra e as carabinas foi publicado em 1951, em capítulos, no jornal que o partido mantinha em Goiânia e que ele editava. A obra descreve a atuação dos comunistas junto aos movimentos populares goianos, em linguagem simples, mas engajada, inspirada no "realismo socialista" que vigorava na literatura da União Soviética. Um pequeno trecho:[8]

> Depois desse dia, Totinha já sabia com quem se entender e como se entender. Aos domingos, lá ia ele tirar

mel ou fazer uma caçada, ocasião em que a célula do partido se reunia e discutia os problemas, assentava planos, lia os jornais vindos da cidade, comentava o que ia acontecendo pelo mundo. Quando não era a célula que se reunia, era a Liga dos Camponeses.

Naquele mesmo período, Bernardo fez parte de uma comitiva de intelectuais brasileiros que foi a Moscou, na Rússia, capital da União das Repúblicas Socialistas Soviéticas (URSS), a convite do governo de lá. Do grupo fazia parte Jorge Amado, que funcionava como uma espécie de guia espiritual, mas a longa viagem e as andanças moscovitas forjaram uma boa amizade entre os dois.

Foi, aliás, o companheiro baiano, agora amigo, quem negociou com a editora Martins Fontes a publicação de *O tronco*. Ele também se encarregou da divulgação da obra, enviando exemplares a outros escritores e jornalistas, abrindo, assim, bons espaços na imprensa.

O professor

Sua vida particular, no entanto, seguia com normalidade. Ele se casou aos vinte e sete anos com a poetisa Violeta Metran, com quem conviveu por trinta e cinco anos e teve três filhos, todos homens.

Após terminar o curso universitário, chegou a exercer a advocacia, mas logo virou professor de colégios secundários e da Universidade Federal, de onde tirava seu sustento, com a vantagem de estar no centro do burburinho do campus. Foi, também, professor de literatura na Universidade Católica de Goiás.

Tanto em universidades como em colégios secundários, suas aulas sempre extrapolavam em muito qualquer currículo delimitado. Colegas de trabalho contam que as apostilas por ele elaboradas, em especial as de cursinhos pré-universitários, eram disputadas por outros professores.

O jornalista Jarbas Marques, antigo militante do "Partidão" em Goiás e ex-preso político, foi aluno de Bernardo desde os doze anos e depois se tornaram bons amigos. Jarbas contou ao autor:[9]

> Fui seu aluno na Escola Técnica de Goiás, em Goiânia. Suas aulas de Geografia não se cingiam à Geografia. Elas nos lançavam a preocupações as mais diversas. Desde a separação dos continentes (coisa que nenhum livro da época falava) até a antropologia cultural da humanidade.

Mas Bernardo era, ele próprio, um eterno estudante. Lia tudo que lhe batesse às mãos, de enciclopédias a folhetos de armazéns. Com humildade, sabia dar valor a outros pesquisadores ou qualquer cidadão que tivesse informações e se dispusesse a passá-las adiante com generosidade.

Ele ficou encantado, por exemplo, quando conheceu o historiador Paulo Bertran, trinta e três anos mais jovem que ele, de quem se tornou grande amigo. Em 1994, ao elaborar o prefácio da primeira edição de *A história da terra e do homem no Planalto Central*, o principal livro daquele historiador, Bernardo escreveu:[10]

> Quando escrevi *Chegou o governador*, primeira tentativa no Brasil Central de fazer romance histórico, encontrei

> dificuldades quase intransponíveis em todos os aspectos, especialmente no tocante a alimentos, trajes, música, dança, armas de fogo, mobiliário e mesmo vida cotidiana. A solução foi valer-me de exemplos de outras capitanias, especialmente Minas Gerais, Bahia e Rio de Janeiro. [...] Quem dera pudesse ter contado com as obras de Paulo Bertran quando elaborei o meu *Chegou o governador*.

Àquela altura, voltando ao início da década de 1950, o país transpunha etapas rápidas de sua história, com eventos de grande comoção nacional, como a eleição e o suicídio de Vargas e ameaças de golpe militar, dentre tantos. E assim vieram o governo de Juscelino Kubitschek, a construção de Brasília, novas estradas, grande movimentação no Planalto Central do Brasil.

Em Goiás, Goiânia já estava consolidada, com muita movimentação política e cultural, a revolta de Formoso e Trombas, e assim por diante. As relações da esquerda com o governo estadual haviam melhorado com a chegada de Mauro Borges ao poder. No entanto, a inesperada renúncia do presidente Jânio Quadros e a assunção de João Jango Goulart, mais as eleições parlamentaristas, criavam outros climas.

Sentido da obra

Embora sempre escrevendo, como se vê, Bernardo seguia mais envolvido com política que com literatura. Já fazia alguns anos que no partido ele havia se acomodado na posição de mero simpatizante, ou seja, seguia a linha, participava de eventos, mas já não tinha tarefas a cumprir.

Com o golpe militar, contudo, a situação se complicou, inclusive do ponto de vista pessoal, pois um dos primeiros atos do novo regime, em Goiás, foi sobre a Universidade Federal. O Centro de Estudos Brasileiros, que ele havia criado e onde concentrava sua atuação acadêmica, foi fechado logo na primeira leva de canetadas. Ele perdeu o emprego e passou a ser monitorado pelos órgãos de segurança.

Deste modo, as atividades políticas e empregatícias se tornaram menos intensas, e ele passou a se dedicar com mais afinco a seus escritos. E assim, em 1965, ano e pouco depois do golpe, ele lançou um novo livro de contos, o *Caminhos e descaminhos*, que ganhou o prêmio Afonso Arinos, da Academia Brasileira de Letras (ABL).

Note-se que já lá se iam dez anos desde a publicação de seu livro anterior, o romance *O tronco*. Além disso, após essa longa demora, ele voltava ao conto, o que dava a entender que esse ficaria sendo seu gênero predileto e definitivo. Uma espécie de Nikolai Gogol brasileiro.

Essa interpretação seria ainda mais reforçada um pouco mais tarde, quando a renomada editora José Olympio, do Rio de Janeiro, lançou *Veranico de janeiro*, também de contos, em 1966. A obra foi acompanhada de comentários críticos altamente positivos de Tristão de Athayde, Antônio Cândido e Mário de Andrade também sobre outros livros de Bernardo e ganhou o Prêmio Jabuti, da Câmara Brasileira do Livro, no ano seguinte. E quem esperava ver Bernardo de volta ao romance teve que esperar por muitos anos.

Aliás, demorou cinco anos para sair o livro seguinte, uma biografia intitulada *Marechal Xavier Curado, criador do Exército Nacional*, editada em 1972 pela Comissão do Sesquicentenário da Independência do Brasil em Goiás. Como já vimos, esse militar goiano, que teve papel importante no período pré e pós-1822, ano da Independência do Brasil, era antepassado de Bernardo.

Era uma biografia feita pra um concurso, mas tratava de um tema político-ideológico que acompanhava o autor desde a Revolução de 1930 e continuava muito em voga no país: o nacionalismo. Na era Getúlio Vargas, havia um sentimento de todos, dos militares positivistas aos comunistas, contra o domínio estrangeiro. Em 1972, era plena a ditadura militar, símbolo da interferência dos Estados Unidos em outros países, mas o livro foi bem aceito.

Pois bem, ali teve início, pra ele, um longo período de profícua produção. Dois anos depois, a José Olympio editou *Seleta Bernardo Élis*, uma coletânea de contos comentada pelo crítico literário goiano José Mendonça Teles. Em 1975, saiu *Caminhos dos gerais*, novamente contos, lançado pela editora Civilização Brasileira, do Rio. E, em 1978, saíram ainda mais contos em *André louco*, pela José Olympio.

Essa produção literária foi arrancada da alma do prosador em um período de muitos altos e baixos em sua vida, de dificuldades pessoais, mas com um dos eventos mais marcantes de sua história, que foi seu ingresso na Academia Brasileira de Letras (ABL), em 1975. A situação do país e a batalha pela sobrevivência o levaram a várias crises depressivas. E essas, por mais de uma vez, fizeram-no pensar em suicídio, como ele relatou em diversas ocasiões.

Bernardo Élis na meia-idade.
Desenho de Luís Jardim

Barnabé

Com o golpe de 1964, como vimos, além de perder o emprego, Bernardo passou a ser monitorado pelos órgãos de repressão do novo regime. Não chegou a ser preso, como outros colegas de trabalho e de partido o foram, mas respondeu a Inquérito Policial Militar (IPM) por causa de suas atividades na universidade. Era a forma que os milicos tinham de avisar que estavam de olho no sujeito.

No entanto, trabalhar no serviço público era uma tradição da gente goiana desde o fim do ciclo do ouro, que já entrou no século XIX agonizante. As cidades de então, inclusive a Corumbá de Bernardo e a capital Vila Boa, sobreviviam em grande parte por causa da grana do funcionalismo público dos três degraus de governo e das três esferas de poder. E assim foi indo e adentrou o século XX, embora com algum avanço na agropecuária e no comércio, mas do mesmo jeitinho.

No período da transferência da capital, da construção de Goiânia, o caso ficou mais grave, porque não havia mão de obra para quase nada; nem mesmo na construção civil, pela quantidade necessária de profissionais e pela qualidade deles, pelo escasso domínio de tecnologias já em uso nas grandes cidades. Um pedreiro de Goiás, à época, sabia mexer com adobe, cerâmicas e outros materiais antigos, quando a exigência daquele momento era o concreto armado, metais, seladores, revestimentos sintéticos e essas coisas.

Nos órgãos públicos, a mesma coisa. Nos limites do estado, não havia nem de longe a quantidade necessária de bons profissionais. Por isso, ninguém podia se dar ao luxo de pedir carteirinha de filiação partidária ou de coloração ideológica. Quem tivesse um bom nível de qualificação entrava na roda, de modo que, mesmo no Estado Novo de Pedro Ludovico, boa parte dos quadros esquerdistas era de funcionários públicos.

Isso explica um pouco, segundo o próprio Bernardo, por que a oposição ao regime muitas vezes era bastante flexível, digamos assim. Jornalistas da imprensa do Rio e São Paulo chegavam a comentar que o que prevalecia em Goiás era uma religião, o "ludoviquismo".

Além do mais, já que Goiás era conhecido no Brasil inteiro como um estado com essas características, muita gente perseguida em outras regiões ia se refugiar ali. Após o chamado Levante Comunista de 1935, por exemplo, que gerou uma verdadeira "caça aos vermelhos", muitos militantes do Rio, de São Paulo e de outros cantos do país correram para lá.

Bernardo vivenciou esse momento histórico e assim o relembrou, pouco antes de morrer:[11]

> Um lugar qualquer onde ninguém era alfabetizado precisava de um professor, e aí aparecia um camarada; se ele fosse branco, preto, azul, comunista ou integralista, o governo aproveitava, precisava de todos que aparecessem. Então, aqui havia comunistas que já haviam sofrido em outros lugares, estavam sendo perseguidos aí pelo Brasil. Vinham para cá e encontravam certo apoio, tolerância e ficavam muito gratos.

Foi um processo que deixou marcas na sociedade goiana em muitos aspectos da vida. Um exemplo: ao observarmos a variedade de nomes próprios do povo goiano, chama a atenção a quantidade de pessoas nascidas naquele período que se chamavam Lenine, Vladimir, Estaline, Carina, Ângelo, Carenina, Luiz Carlos, Diógenes, Natacha, Astrogildo, e assim por diante.

Esses antropônimos são prontamente identificados com alguma liderança comunista da época, nacionais ou de outras partes do mundo. Isso se confirma quando se busca a origem dos pais da pessoa usuária do nome. Não quer dizer, contudo, que elas tenham seguido as crenças de origem.

Aliás, veio à memória um caso. A primeira vez que eu entrei em contato com esse detalhe foi quando, próximo a São Miguel do Araguaia, em meados da década de 1970, como repórter, presenciei a prisão de um jagunço a soldo de grileiros, após um tiroteio. O tal bandoleiro se chamava Lenine.

Pois bem, mas o fato é que, mesmo durante a ditadura militar, de 1964 a 1985, Bernardo acabou se enganchando em algum emprego do jeito que dava, mesmo em órgãos públicos.

Ele padecia de alguma síndrome da fome, um medo terrível de passar por situações que já havia visto em muitos lugares de pessoas sofrendo por não ter o que comer. Nessa entrevista a uma revista, ele explicou:[12]

REPÓRTER: Qual é sua maior obsessão?

BERNARDO ÉLIS: Fome. A fome sempre me horrorizou. Meu medo de ter fome é tão grande que antigamente, quando viajava de avião, levava comigo um pacote de bolacha. Tinha receio de o avião cair e eu ficar passando fome. Quando menino, tive uma fome canina. A fome era tanta que me dava cegueira e eu desmaiava. Eu era um menino muito tímido e tinha medo de pedir as coisas. Até hoje conservo o medo de passar fome.

Em verdade, ele nunca chegou a passar por suplício desses que imaginava em seus devaneios. Tampouco experimentou o completo desamparo. Já lá atrás, quando foi escorraçado da universidade, ele passou a viver de outros expedientes, como já vimos. Seus saberes, mais que seu registro de advogado, o credenciavam a muitas atividades no serviço público, e, por isso, virou um autêntico barnabé.

Na década de 1970, virou assessor cultural do Escritório de Representação do Estado de Goiás no Rio de Janeiro, cargo que funcionava como consultoria, de jeito que ele não chegou a se mudar para o Rio. E com a Lei da Anistia, de 1979, retomou seu lugar como professor da Universidade Federal de Goiás (UFG).

No mesmo período, exerceu a função de diretor-adjunto do Instituto Nacional do Livro (INL), órgão vinculado ao Ministério da Educação e Cultura (MEC), até 1985. No ano seguinte, porém, já no governo do então presidente José Sarney, foi nomeado membro do Conselho Federal de Cultura, também subordinado ao MEC, onde permaneceu até 1989.

No entanto, no período foi agraciado pelo presidente Sarney com a Medalha da Ordem do Rio Branco, que, pra quem gosta dessas frescuras, é a mais cobiçada condecoração da República.

Notas:

1. Sautchuk, João Miguel. *A poética do improviso*, Editora UnB, Brasília/DF, 2012.
2. Ribeiro, Zé. José Ribeiro da Silva em entrevista ao autor, *Jornal de Brasília*, Brasília, 5/2/1978.
3. *Ibidem.*
4. Entrevista ao jornal *O popular*, Goiânia, 5/7/1997.
5. Élis, Bernardo. *A vida são as sobras*, Editora Kelps, Goiânia/GO, 2000.

[6] Cordeiro, Isanulfo. Coletânea *Bernardo Élis, vida em obras*, Agepel (Agência Goiana de Cultura), Goiânia/GO, 2005.

[7] Ortencio, Bariani. *O popular*, Goiânia/GO, 24/10/2014.

[8] Élis, Bernardo. *A terra e as carabinas*, R&F Editora, Goiânia/GO, 2005.

[9] Marques, Jarbas. Coletânea *Bernardo Élis, vida em obras*, Agepel (Agência Goiana de Cultura), Goiânia/GO, 2005.

[10] Bertran, Paulo. *História da terra e do homem no Planalto Central*, Editora UnB, 3., Brasília/DF, 2011.

[11] Moreira, Sérgio Paulo e Nepomuceno, Maria Araújo. Coletânea *Bernardo Élis, vida em obras*, Agepel (Agência Goiana de Cultura), Goiânia/GO, 2005.

[12] Belém, Euler de França. Revista *Presença*, Goiânia, jan/1991.

Bernardo Élis no dia da posse na
Academia Brasileira de Letras.

Magos da Academia

A Academia Brasileira de Letras (ABL) foi criada à imagem e semelhança da congênere francesa, mais uma dentre tantas invenções da elite intelectual de Paris que virava coqueluche no Rio de Janeiro do século XIX. No grupo de sua fundação, estavam alguns dos principais nomes da literatura brasileira de então, e seu primeiro presidente foi Machado de Assis, um dos maiores romancistas tupiniquins de todos os tempos.

Em 1897, ano de criação da entidade, a literatura brasileira vivia um período de transição, certa crise existencial, que veio desaguar na Semana de Arte Moderna de São Paulo e no advento do Modernismo, quase três décadas depois. Seria, como de fato foi, um importante fórum pra juntar algumas cabeças pensantes e promover certo debate sobre aquele momento que viviam as letras no Brasil.

Era, contudo, um colegiado que estava longe de representar o pensamento do conjunto de escritores brasileiros, entre romancistas, contistas, poetas, cordelistas e outros *istas* mais. A começar pelo fato de que o estatuto da ABL definia que a agremiação teria quarenta membros vitalícios — os imortais —, sendo que pelo menos 25 deles teriam que residir no Rio de Janeiro.

O dito estatuto estabelecia ainda que:[1]

> Art. 5º — A Academia funciona com cinco membros e delibera com dez.
>
> Parágrafo único. Para eleições exige-se, em primeira assembleia, a maioria absoluta dos membros residente no Rio de Janeiro.

Ficava decretado, pois, que o centro dessa arte em solo nacional seria ali, na capital do país de então. Não se discute a qualidade da quase totalidade dos primeiros quarenta membros, dentre eles gente do coturno de Rui Barbosa, Olavo Bilac, Joaquim Nabuco, Graça Aranha e Visconde de Taunay, pra citar apenas meia dúzia, além de Machado de Assis, eleito presidente por aclamação.

Mas, é claro, nem de longe os membros da Academia podem ser definidos pelos quarenta melhores da literatura brasileira de cada momento. Escritores e poetas do porte de Carlos Drummond de Andrade, Monteiro Lobato, Graciliano Ramos, Gilberto Freyre, Érico Veríssimo, Sérgio Buarque de Holanda, Vinícius de Moraes e milhares de outros nunca quiseram entrar, ou não foram convidados a entrar na confraria.

Pode-se dizer, portanto, que a Academia já nasceu sob o signo da polêmica, sua marca perpétua, talvez. E o ingresso de Bernardo Élis naquele seleto grupo não foi diferente. Ele concorreu, em disputa renhida, com o ex-presidente Juscelino Kubitschek.

Antes, um esclarecimento. Como a Academia tem quarenta membros perpétuos, só surge alguma vaga quando algum acadêmico morre, já que ali ninguém pede pra sair. Assim, mesmo não sendo previsível a data de abertura de uma vaga, há um permanente conchavo político em torno de uma possível cadeira vazia, surja ela quando surgir.

Muitos escritores, ou pretensos escritores, buscam fazer parte da entidade por acharem que serão pra sempre lembrados como expoentes, ainda que não tenham obra pra tanto. Mas há outros que buscam ali um refúgio, uma espécie de proteção política até. Esse era o caso, naquele contexto histórico, tanto de Kubitschek quanto de Bernardo, que pleiteavam a vaga aberta com a morte do mineiro Ivan Lins (1904-1975).

Quando deixou a presidência da República, em 1961, Juscelino Kubitschek se elegeu senador por Goiás. Logo após o golpe militar de 1964, porém, ele fez um contundente discurso no Senado em favor da democracia e teve seu mandato cassado no mesmo dia, sendo privado de todos os direitos políticos. Ameaçado, ele se exilou na França, mas voltou ao Brasil no ano seguinte, quando foi preso e severamente interrogado.

Em seguida, ele voltou ao exílio por mais quase um ano, mas regressou ao Brasil meio na marra, por não suportar a vida no exterior. Aqui, participou da Frente Ampla, movimento pela redemocratização do país, e, em 1968, na edição do Ato Institucional nº 5, foi preso e mantido em um cubículo em uma guarnição militar de São Gonçalo (RJ).

No entanto, com graves problemas de saúde, teve autorização pra ir aos Estados Unidos, onde foi operado e extraiu a próstata. E por lá ficou por algum tempo.

De volta ao Brasil, em 1971, pra ver a mãe idosa e doente (ela morreu em seus braços), acabou ficando por aqui. Constantemente vigiado e perseguido, ele precisava de algum lugar onde ficasse visível. Em 3 maio de 1975, foi eleito e assumiu cadeira na Academia Mineira de Letras. Em seguida, candidatou-se à Academia Brasileira, com a mesma ideia de busca de um lugar ao sol.

Bernardo, por seu lado, contava que, naquela ocasião, estava havia alguns anos sem publicar nenhum livro e que se considerava meio alijado do mundo literário. Politicamente, também se via imobilizado e ainda estava com a saúde abalada por crises depressivas. A Academia seria, em sua visão, uma forma de contornar todos esses problemas. Havia tentado outras duas vezes, sem sucesso. E se candidatou de novo, mesmo sabendo quem também estava pleiteando a vaga.

Em longa entrevista, por escrito, ainda nos anos 1980, ele discorreu detidamente sobre esse processo. Um trecho:[2]

> Afinal, ao beirar os sessenta anos de idade, achava-me um tanto frustrado: antes, achava que minha mulher e filhos tinham motivo para julgar-me um fracassado. Meus conterrâneos, dentro da minha classe social, haviam chegado ou à riqueza ou a cargos importantes,

com filhos e filhas encaminhados na vida. Embora esse problema jamais me houvera preocupado, ao chegar a essa idade, com meus filhos a serem encaminhados, eu sentia que cobravam isso de mim. Minha mulher me considerava um fracassado e transmitia tal impressão aos filhos, destruindo a pequena margem de segurança à qual eu me agarrava como um náufrago.

Ele teria a seu favor o fato de ser um escritor de carteirinha, com prestígio e reconhecimento nos meios literários. JK não tinha essa tradição no ramo, pois até então havia publicado artigos, discursos e apenas o livro de memórias *Meu caminho para Brasília*, editado no ano anterior por iniciativa de amigos.

Nesse aspecto, de certa forma, o estatuto da Academia protegia Bernardo ao definir o perfil de seus membros:[3]

> Art. 2º — Só podem ser membros efetivos da Academia os brasileiros que tenham, em qualquer dos gêneros de literatura, publicado obras de reconhecido mérito ou, fora desses gêneros, livro de valor literário.

É inegável, porém, que JK contava a seu favor com o fato de a Academia já ter tradição de abrigar como membros pessoas com pouca ou nenhuma atividade literária. Alguns famosos, como Getúlio Vargas, Santos Dumont, Ivo Pitanguy e o Barão do Rio Branco. Muitos outros, contudo, nem tinham um currículo de destaque em qualquer área, mas eram membros da entidade por injunções políticas. Ou seja, ele não seria nenhum estranho no ninho.

O jornalista e escritor Carlos Heitor Cony, membro da Academia, era fiel colaborador de Kubitschek e o ajudava a colocar no papel outros capítulos da autobiografia dele, quando de sua morte. Mas Cony escreveu o livro *JK e a ditadura*, em que fala da possibilidade de vitória nessas eleições acadêmicas.

Prédio da Academia Brasileira de Letras, no Rio.

Um trecho:[4]

Havia um clima favorável nos meios intelectuais, que reconheciam a necessidade de uma reparação ao ostracismo e às perseguições que JK vinha sofrendo. Contudo, logo se armou um esquema poderoso, que envolveria informalmente o próprio governo.

Alma ao diabo

Pelo sim, pelo não, os dois foram a campo disputar a vaga, buscando assegurar maioria no colégio eleitoral que elegeria um deles, ou seja, os trinta e nove membros da agremiação naquele momento. Partiam de uma situação de igualdade: nenhum deles era do Rio de Janeiro, pois ambos moravam em Goiás. Bernardo, em Goiânia; e JK, em Luziânia, em uma propriedade rural que havia comprado, com ajuda de amigos, após voltar do exílio.

A partir daí, no entanto, a situação se complicou, e a Academia voltava ao mundo das polêmicas. O Brasil vivia sob o governo do general Ernesto Geisel, que tinha em sua antessala o então poderoso chefe da Casa Civil, general Golbery do Couto e Silva, conhecido pelas jogadas maquiavélicas nos mundos político e militar.

Geisel vinha prometendo abertura política, mas de olho em qualquer civil que se apresentasse como candidato natural em uma possível eleição direta para a presidência da República. Um desses perigos iminentes era JK.

Esse adversário deveria, portanto, ser mantido na maior penumbra possível. A Academia, naquele momento, rumava em sentido contrário, pois seria uma forma de ele ganhar a mídia, de se manter em evidência e lançar seu nome à Presidência da República.

Um dos coordenadores da campanha de JK era o historiador Ronaldo Costa Couto, homem muito ligado ao ex-primeiro-ministro Tancredo Neves e que, entre tantos feitos, havia coordenado a fusão dos estados do Rio de Janeiro e da Guanabara, no ano anterior.

Ele afirma que Bernardo teria sido usado e entrou de gaiato em uma disputa que nada tinha a ver com a Academia. Em seu livro *O essencial de JK*, Costa Couto escreve:[5]

> Verdade que JK teve ajuda de vários acadêmicos, como Josué Montello e Jorge Amado. E também de amigos bem relacionados no meio. Um deles, Renato Archer, avisou que a maior dificuldade não seria o concorrente Élis, mas o governo militar. Se Juscelino vencesse, o financiamento para construção do prédio não sairia.

O autor se refere a um financiamento que a Academia estava negociando com o governo federal para a construção de sua sede própria, um prédio de vinte e nove andares no centro do Rio de Janeiro, que foi construído. JK procurou o presidente da entidade à época, o escritor Austregésilo de Athayde, mas este o desaconselhou a se candidatar naquele momento. Sugeriu que aguardasse outra vaga, o que denotava sua posição.

O historiador conta, também, que o escritor Josué Montello, membro da Academia, havia anotado uma afirmação de JK, de quem era partidário:[6]

> De fato, é Golbery que está a se mexer contra mim. Mas estou sereno. Os votos que me foram prometidos me asseguram a vitória.

Segundo os relatos de Costa Couto, citando várias fontes, Golbery se empenhou pessoalmente na derrota de JK e colocou outros ministros em campo, inclusive o da Educação e Cultura (MEC), Ney Braga. Com um detalhe: dependia do MEC a liberação do dinheiro para a sede da Academia.

Em seu livro, ele publicou trechos do diário que JK fazia, em que o ex-presidente escreveu, no dia 2 de setembro de 1975:[7]

> Josué Montello contou que o Ney Braga telefonou-lhe de Brasília pedindo que se mantenha neutro no pleito da Academia. Quer dizer, o governo esposa a candidatura de Bernardo, o comunista.

Bernardo, por seu turno, também andava cabalando votos. Valeram até mesmo muitas rodadas de café e pão de queijo goiano, feitos e servidos por dona Violeta, como sua mulher se tornou conhecida naquele meio. O jeito simples do casal, sem grandes requintes, serviu pra que essas rodas acabassem ganhando simpatias.

De qualquer modo, na disputa, o que mais valeu foi a ajuda de alguns acadêmicos, incluindo o próprio Austregésilo, empenhado que estava na construção do prédio da agremiação. Aliás, a sede foi mesmo construída ainda durante sua alongada gestão (de 1959 a 1993) e hoje leva seu nome.

Foram quatro meses de campanha. E chegou, enfim, o dia das eleições, 23 de outubro de 1975. O clima estava acirrado, algo nunca antes vivenciado na Academia. Foram necessários três escrutínios pra se obter um resultado. No primeiro, deu empate: dezenove a dezenove. No segundo, JK ganhou por dezenove a dezoito, mas não levou, porque faltou um voto para a maioria absoluta. E, no terceiro, Bernardo ganhou por vinte a dezoito, em uma apuração nervosa e tumultuada.

JK e Bernardo souberam do resultado por telefonemas. JK estava na casa de sua filha Maria Estela. Carlos Cony conta que ele desligou o telefone, pediu a ela que colocasse uma música no toca-discos e a chamou pra dançar.

Contudo, no mesmo dia, ele deixaria registrado em seu diário seu real sentimento:[8]

> Estou pulverizado por dentro. Pus muita fé na minha eleição. Desejava-a ardentemente, o prestígio que compensasse os imensos dissabores de 1964... Nunca imaginei que uma derrota pudesse me ferir tanto.

Contudo, no dia da posse, de modo elegante, lá estava JK entre os convidados, com jeito sereno e alegre, que chamou a atenção dos demais. Logo ao chegar, caminhou até onde Bernardo estava e o cumprimentou efusivamente. E foi aplaudido em pé por todos os presentes.

Menos de um ano depois, JK morreria em rumoroso acidente automobilístico na Via Dutra, entre São Paulo e Rio.

Arrependimento

Bernardo não acompanhou os detalhes do processo eleitoral, mas tinha em mente que aquele deveria ser seu momento. A todos que lhe perguntaram depois, no dia e por anos a fio, o que guardava daquele episódio ele sempre respondeu com uma frase que significava algo como "não me senti envolvido, porque ganhei por mérito".

Nos primeiros tempos, ele frequentou as reuniões e eventos promovidos pela Academia, que naquele período estava envolvida com as mudanças na ortografia, juntamente com universidades e outras instituições. Era o processo do Acordo Ortográfico da Língua Portuguesa assinado pelo Brasil, Portugal e demais países lusófonos em 1990, que implicaria alguns ajustes na escrita.

Bernardo era contra a reforma. Ele se referia deste jeito ao projeto que tramitava no Congresso Nacional:[9]

> Não concordo com essa reforma — é bobagem. Nós ficaríamos muito presos à compreensão linguística de Portugal. Na verdade, nós somos um país com mais de 140 milhões de habitantes. Mesmo na parte cultural, somos mais importantes do que Portugal. Não podemos ficar a reboque dos portugueses. A reforma ortográfica que estão querendo impor atrapalha muito mais a nossa ortografia, que é mais simples que a que estão propondo.

No entanto, Bernardo tinha bom relacionamento com o filólogo Antônio Houaiss, que coordenou as negociações do acordo pelo lado brasileiro e também era membro da Academia. Passado o processo de aprovação da nova ortografia, a entidade voltou ao seu cotidiano, ou seja, às reuniões periódicas, alguns eventos e ocasionais eleições de novos membros.

Em entrevista publicada em janeiro de 1991, quando era considerado veterano na entidade, o acadêmico Bernardo Élis respondeu a uma pergunta desta forma:[10]

> REPÓRTER: Em que sua carreira foi modificada com o ingresso na Academia Brasileira de Letras? Ser imortal não é tedioso?
>
> BERNARDO ÉLIS: [risos] Eu quis entrar para a Academia. É uma instituição nacional, mas de repercussão internacional. Goiás tem uma intelectualidade importante e precisava de um escritor na ABL. O pessoal da Academia é cordial, mantenho grandes amizades lá. As reuniões são mais ou menos literárias. Comemoramos nascimentos, mortes e centenários de autores, aparecimento de livros. Discute-se a política cultural do país, a ortografia. A última vez que estive na ABL foi em março de 1989.

A partir de então, Bernardo passou a ter uma participação ainda menor nas coisas da Academia, conforme relatos dele e as listas de presença de reuniões e eventos da casa. Àquela altura, na mesma entrevista de que falamos atrás, ele analisa assim a situação:[11]

> Finalmente alcancei meu ingresso na Academia, o que desencadeava outras iras e outras responsabilidades, tão agudas e tão agudamente repercutidas no seio da família que me senti desnorteado, enxergando como

única saída a porta que sempre estava aberta para mim, a porta do suicídio.

Alguns anos depois, sucederam dois momentos que demonstravam o desencanto dele com esse mundão dos mortais. Um deles foi narrado por Evandro Lins e Silva, em discurso na Academia, após a morte do acadêmico goiano, em que cita o poeta goiano Gabriel Nascente, amigo de Bernardo. É assim:[12]

> Agora, no fim da vida, aceitou o convite do governador do estado para presidir a Fundação Cultural Pedro Ludovico e sofreu uma terrível pressão dos artistas e dos escritores para deixar o cargo. Assim, compelido e atacado, pediu demissão. Sofreu muito com isso, e disse a Gabriel Nascente três dias antes de morrer: "Já não sinto mais nada pela vida. E tudo, em mim, tem gosto de sabão da terra". Tudo indica que ele estava sob crise depressiva. Andava às voltas com ideias de suicídio e chegou a dizer confidencialmente: "Eu só não me mato com revólver porque tenho medo do estampido da bala". Comenta Nascente: "Ele tinha coisas assim satânicas e jocosas. Tinha tão grande ódio da espécie humana que vivia exorcizando sua própria presença".

Meses antes, havia ocorrido aquele nosso encontro narrado na abertura deste livro, em que ele colocava seu ingresso na Academia como o feito de que ele se arrependia de ter protagonizado na vida.

Na ocasião, eu perguntei o motivo desse arrependimento. E ele respondeu:

— É que eu não vejo sentido nenhum na Academia.

E nada mais quis dizer.

Notas:

[1] *Estatutos da Academia Brasileira de Letras*. Disponível em: <http://www.academia.org.br/academia/estatuto>

[2] *Élis, Bernardo. A vida são as sobras,* Editora Kelps, Goiânia/GO, 2000.

[3] *Estatutos da Academia Brasileira de Letras*. Disponível em: <http://www.academia.org.br/academia/estatuto>

[4] Cony, Carlos Heitor. *JK e a Ditadura*, Editora Objetiva, Rio de Janeiro/RJ, 2012.

[5] Costa Couto, Ronaldo. *O Essencial de JK,* Editora Planeta, São Paulo/SP, 2013.

[6] *Ib.*

[7] *Ib.*

[8] *Ib.*

[9] Jornal *Opção,* Goiânia/GO, 5 a 11/1/2014.

[10] Revista *Presença.* Goiânia/GO, jan/1991.

[11] Lins e Silva, Evandro. *Discurso de posse*, Academia Brasileira de Letras. Disponível em: <http://www.academia.org.br/academicos/evandro-lins-e-silva/discurso-de-posse>, Rio de Janeiro, jan/2015.

O amigo J. Veiga

Cerca de 500 metros separam as casas em que viveram os meninos Bernardo Élis Fleury de Campos Curado e José Jacinto Pereira da Veiga. O segundo nasceu dia 2 de fevereiro de 1915; o outro, nove meses depois, em 15 de novembro do mesmo ano. E as casas ainda existem na parte tombada da histórica cidade de Corumbá de Goiás.

O primeiro era de origem nobre, das oligarquias goianas; o outro, plebeu, gente comum. Eram dois tipos de gente que não se misturavam com muita facilidade. Eles dois, contudo, cultivaram grande amizade desde a primeira infância. E ambos seguiram o caminho da literatura, um com o nome de Bernardo Élis, o outro com o de José J. Veiga.

Veiga nasceu na fazenda Morro Grande, onde seu pai era agregado, um tipo de relação em que o trabalhador paga com produção pelo uso da terra. A propriedade ficava no limite daquele município com o de Pirenópolis, às margens do córrego Baião, e por isso há disputa sobre sua naturalidade. Mas o que vale é o registro em cartório, que foi em Corumbá.

Quando o menino tinha seis anos, a família foi morar na cidade, onde seu pai, Luiz Pereira da Veiga, virou pedreiro na construção civil. Dessa atividade, pelo resto da vida, tirou o sustento para a dezena de filhos que teve com sua mulher, Maria Marciana Jacinto, dona de casa humilde, de parca instrução, mas o suficiente pra alfabetizar o filho José, ainda na roça.

Um preferiu ficar em Goiás e cursar direito na capital do estado. O outro foi para o Rio de Janeiro, onde atuou na imprensa, nos jornais *O Globo*, *Tribuna da Imprensa* e *Seleções Reader's Digest*. Nesse tempo, também passou quatro anos no exterior, trabalhando em Londres, na Inglaterra.

Um, o nobre, virou comunista e chegou a ser preso pelo regime militar pós-64. O outro, o pobre, um democrata, também crítico da ditadura, inclusive em sua literatura, por meio de alegorias que inventava pra combater o regime autoritário.

Um virou membro da Academia Brasileira de Letras, o outro sempre recusou convites pra disputar vaga na própria ABL e em outras entidades desse tipo. Considerava-as elitistas, excludentes, seletivas e, ademais, era avesso à ritualística desses ambientes, como revelam seus escritos e depoimentos de amigos. "Acho ridículo!", dizia ele, segundo o crítico literário Álvaro Costa e Silva.[1]

De qualquer modo, ele aceitou o Prêmio Machado de Assis, concedido pela Academia pelo conjunto de sua obra, em 1997, menos de dois anos antes de sua morte. Prêmios, aliás, ele colecionou muitos durante sua carreira e os tinha como importantes reconhecimentos ao desempenho da atividade literária.

Ainda jovens, eles também foram colegas no Liceu de Goiás, uma escola pública de qualidade à época, na antiga Vila Boa, hoje Cidade de Goiás. Ali cursaram o clássico, equivalente ao ensino médio dos dias atuais, mas voltado às ciências humanas. E foram alunos do dicionarista Francisco Ferreira dos Santos Azevedo, autor do clássico *Dicionário analógico da língua portuguesa*. Era um professor que "ensinava gramática rindo dos gramáticos", segundo Veiga.

Nesse tempo, quando ambos haviam acabado de fazer dezessete anos, Veiga chegou com um presente pra que o amigo lesse. Era o livro *Tropas e boiadas*, do também goiano Hugo de Carvalho Ramos, o que levou Bernardo a mergulhar na literatura regional de Goiás.

Esse livro de contos foi publicado pela primeira vez em 1917 e é considerado um precursor do Modernismo no Brasil, que predominou na literatura brasileira a partir da década seguinte, especialmente após a publicação de *A bagaceira*, de José Américo de Almeida, em 1928. Hugo também nasceu em Cidade de Goiás, em 1895, e morreu aos vinte e seis anos de idade, no Rio de Janeiro.

O livro influenciou Bernardo, que muitos anos depois se tornaria também um modernista com seus escritos.

Veiga deixou sua casa aos doze anos, quando sua mãe faleceu, e foi morar com tios em Cidade de Goiás. E só deixou Goiás oito anos depois, pra também se tornar advogado,

José J. Veiga, em Corumbá de Goiás.

Casa onde morou José J. Veiga, em Corumbá de Goiás.

Casa em que viveu Bernardo Élis em Corumbá de Goiás.

só que nos bancos da Faculdade Nacional de Direito, no Rio de Janeiro. Mas, como o outro, tampouco exerceu a profissão. Virou jornalista.

Uma diferença é que Bernardo enveredou pela literatura mais cedo que Veiga. Pra ele, Bernardo, desde jovem a arte da escrita era a preocupação maior em sua vida, além de cuidar de ganhar seu sustento em solo goiano. Veiga demorou mais pra se embrenhar por esse mundo das letras, mas tirou o atraso em poucos anos.

Ele, Veiga, só publicou seu primeiro livro de ficção aos quarenta e quatro anos, após muita insistência de alguns amigos. Entre esses estava João Guimarães Rosa, que leu os originais antes de ser publicado e pretendia fazer um prefácio para a obra, intento de que foi dissuadido pelo autor. Ele achava descabidos prefácios em peças ficcionais.

Os dois eram muito amigos, a ponto de Rosa usar seu gosto pelo sobrenatural pra sugerir, com base em numerologia, que seu colega passasse a adotar o nome José J. Veiga, em vez do J. J. Veiga que usava. A sugestão foi prontamente aceita.

Esse primeiro livro só saiu, no entanto, após muitas andanças de Veiga, que incluíram os quatro anos na Inglaterra, onde atuou como noticiarista, locutor e comentarista da rádio BBC de Londres.

Nessas funções, sua tarefa básica era traduzir para o português as notícias que chegavam dos correspondentes da emissora pelo mundo afora e que eram lidas nos noticiários de seu Serviço Brasileiro. Ali conheceu gente do mundo inteiro, pessoas que podem tê-lo incentivado a seguir o caminho literário.

Bush House, o prédio do Serviço Internacional da BBC, era — e o foi por décadas — uma verdadeira Torre de Babel. Na época em que ele trabalhou lá, pouco depois da Segunda Guerra Mundial, já havia transmissões em cerca de cinquenta línguas. Só em português eram três equipes diferentes uma para o Brasil outra para Portugal e uma terceira para os países lusófonos da África e Ásia.

Nos corredores, elevadores e refeitórios, os profissionais de todos os cantos do mundo se encontravam e conversavam. Uma regra básica, seguida com naturalidade por todos, era evitar polêmicas políticas. Mas, de resto, valia tudo. Portanto, o ambiente favorecia a troca de informações em uma época em que nem se sonhava com internet e outros meios de comunicação hoje existentes.

Foi ali, também, que Veiga pegou gosto pela versão literária e se tornou um dos principais tradutores de Ernest Hemingway para o português, por exemplo. No rol dessas obras do escritor norte-americano, está *O velho e o mar*, o mais famoso de seus livros. Em parceria com Ênio Silveira, dono da editora Civilização Brasileira, ele traduziu os três volumes de contos do escritor ianque. Por isso, quiçá, há críticos que chegam a identificar forte influência do estilo quase jornalístico em sua obra.

Ambientes

Bernardo, por seu lado, havia ficado no Brasil, ou melhor, havia se aquietado em Goiás, mas há registros de que um tinha frequentes notícias do outro. Em ambientes bem diferentes. Bernardo em casa, no trabalho, sempre recatado, bebendo chás. Veiga em *pubs* ingleses ou botecos brasileiros, de preferência com muita cerveja e uma boa cachaça na mesa.

Aqui ou acolá, ambos alcançaram grande projeção no mundo literário, com vantagem para Veiga na vendagem de livros, inclusive no exterior, pois era um autor mais popular, como se dizia. Ou seja, era aceito facilmente por um público mais amplo e contava com mais ajuda da mídia, talvez por viver no Rio de Janeiro.

Nisso Veiga levava vantagem também nos meios institucionais. Ele conseguiu, por exemplo, que seus livros fossem incluídos nas listas de obras recomendadas pelo Ministério da Educação pra serem adotadas pela rede pública de ensino. Esse feito, sonhado por todo escritor, nunca foi alcançado por Bernardo.

De todo jeito, eles sempre mantiveram uma viva amizade e também o costume de volta e meia regressarem à terra natal pra rever familiares e amigos, pra manter vivos os vínculos.

Nos dias atuais, na fachada frontal da casa de Veiga, existe uma placa de bronze avisando que ali viveu o escritor. É uma habitação de um só pavimento, modesta, paredes amarelas, com janelas e portas de madeira, em estilo colonial, e telhas de barro.

Na de Bernardo, não há nada, nem a simpatia dos atuais moradores. A Secretaria de Cultura do Estado e a Academia Goiana de Letras chegaram a afixar uma placa semelhante na parede que dá para a rua, mas os atuais proprietários a retiraram. A casa foi vendida há muitos anos em um momento de aperto financeiro da família.

Há, por parte do governo de Goiás, a intenção de adquirir a casa pra transformá-la em um museu dedicado ao escritor.

No entanto, as negociações com os atuais proprietários se arrastam há anos sem que se chegue a um bom termo.

E fui saber a versão da família de proprietários sobre a contenda. O advogado Vitor Alexandre Abrantes, filho da atual proprietária e morador da casa, diz que não há da parte deles nenhum interesse em vender o imóvel. E afirma, de modo categórico:

> O governo do estado fez uma proposta, mas nós não aceitamos porque eu não gosto de Bernardo, nem da pessoa que foi, nem da obra dele.

Também de pronto eu perguntei o porquê dessa posição, e ele foi ainda mais direto:

> Primeiro, porque Bernardo era marxista, e eu não gosto dessa gente; e, além do mais, a obra dele não representa Corumbá, porque nenhum de seus livros foi escrito aqui e nem sequer tem esse valor que dizem. E, se o governo desapropriar nossa casa, nós vamos resolver na Justiça.

A casa, contudo, mantém suas características primitivas e é tombada pelo patrimônio histórico, como o são todas as edificações da Corumbá antiga. Na parte frontal, são seis janelas e uma porta, todas de madeira, com batentes de vigas de quinze centímetros por quinze centímetros, no estilo tradicional. Paredes de cor bege e batentes de um marrom quase preto, telhado colonial, com as conhecidas telhas de coxa ou telha-canal, de argila, originais.

Ao longo dos anos, de qualquer modo, tanto o governo do estado quanto o do município compraram casas na parte histórica da cidade pra serem transformadas em memorial do escritor. Criou-se, assim, uma duplicidade de ações, e o objetivo final das propostas não foi adiante, pelo menos até meados de 2015.

Se ainda não me fizeram essa pergunta, hão de fazer: por que escrever um livro sobre um e não sobre o outro, já que ambos completaram 100 anos em 2015? A resposta é simples: eu acompanhei a carreira de Bernardo desde muito jovem, conheci-o pessoalmente e tinha, portanto, proximidade maior com sua obra. Só por isso.

É claro que Veiga tem também uma obra e uma história de vida muito ricas, que dão gosto de ver. E coceira na mão. A começar pelas fantasias que criava em livros que encantavam, desde o primeiro, de 1959, que foi *Cavalinhos de Platiplanto*. Os contos nele contidos foram publicados primeiro no caderno literário do *Jornal do Brasil*, um dos órgãos de imprensa mais influentes do país à época.

É certo que o segundo livro veio devagar, levou bons sete anos para sair. Foi o romance *A hora dos ruminantes* de 1966, de 1966, um estouro de público — vendeu nove edições de enfiada, surpreendendo até os editores. Já com essas duas obras, ele passava a ser cobiçado por grandes editoras. E assim, com tamanha aceitação dos leitores e pedidos de tradução no mundo inteiro, nos anos seguintes, vieram muitas outras obras, uma atrás da outra.

Obras diferentes

Em Veiga, o surrealismo ou o realismo fantástico, como se convencionou chamar, sempre foi mais marcante, tomando conta de sua narrativa. Nos seus livros de contos e romances, ele tinha um estilo inconfundível, capaz de misturar a dura realidade de seu estado e do Brasil com viagens espaciais.

Ele, contudo, não gostava dessa classificação. Considerava esse tal "realismo fantástico" um modismo da mídia, um ardil marqueteiro destinado a vender livros em um período em que o mundo alçava voos interplanetários. E é inegável que a busca por suas reminiscências está presente em toda sua obra, ainda que de modo meio impreciso, mas denotando forte presença do regionalismo.

Ao apresentar o livro *Melhores contos*, em que publica obras de Veiga, o crítico literário José Aderaldo Castello observa que ele "navega do real a libertações oníricas ou fantásticas". Mas realça:[2]

> Contudo, quase todos os contos se apresentam equacionados com o universo rural em que se destacam pequenas propriedades e excepcionalmente pequenos vilarejos, reais ou imaginários. Sente-se sempre a presença desse universo sertanejo, interiorano, com seus valores e sua rotina de vida.

De qualquer modo, em suas histórias, um idoso pode virar criança, e uma criança pode se apoiar em bengala como se fosse um vovô. Ou bois deixam os pastos pra voar. E tudo parece a coisa mais normal do mundo, fazendo-nos lembrar do escritor tcheco Franz Kafka, que morreu convicto de que suas obras, como *Metamorfose* e *O processo*, eram histórias engraçadas, ao contrário do que são.

No romance *O relógio Belisário*, por exemplo, Veiga consegue colocar o legendário detetive inglês Sherlock Holmes, criação de Conan Doyle, pra ajudar um delegado de polícia a desvendar um crime no Rio de Janeiro. De quebra, envolve um javanês que não passava de um personagem de outro escritor, o carioca Lima Barreto, no livro *O homem que sabia javanês*, publicado em 1911.

No romance *A hora dos ruminantes*, publicado em plena ditadura militar, ele inventou uma cidade que é tomada por cães e bois, que dominam ruas e todos os cantos. Assim, os moradores são forçados a ficar aprisionados em suas casas, em silêncio, em uma alegoria que é interpretada como uma crítica ao regime de opressão que vigorava no Brasil.

São recursos literários que Bernardo talvez jamais usasse, o que não o impedia, contudo, de dar boas risadas com o amigo e curtir seus delírios. Mas Veiga tampouco o cerceava de também enveredar pelo Surrealismo, deixando de lado seu tom realista, de narrativa direta, descritiva, presente na maioria de seus contos desde *Ermos e gerais*, seu primeiro livro, publicado em 1944.

Em ambos, contudo, essas alucinações geralmente se apresentaram como recursos pra dizer coisas que as censuras oficiais não deixavam ser ditas de forma direta. Ou mesmo apenas pra realçar aspectos duros da realidade. Também nos escritos de Bernardo "mãos invisíveis" que matam, ou o "rato romântico no tórax", aparecem volta e meia com naturalidade.

De todo jeito, também na literatura, a sintonia e a amizade entre Bernardo e J. Veiga se faziam presentes. Havia, em verdade, uma admiração mútua, embora houvesse algumas diferenças entre eles no modo de encarar o ofício da escrita. Um falava do outro com desprendimento, sem qualquer vestígio daquelas rusgas que muitas vezes habitam o mundo das artes.

Em entrevista que concedeu nos fins dos anos 1980[3], em que analisava o cenário da literatura brasileira, por exemplo, Bernardo resumiu o que pensava da obra de seu conterrâneo:

> Reitero que a literatura brasileira é elitista, individualista, voltada para os países que exploram o Brasil, em detrimento do nosso povo. Tudo isso é feito sob a alegação de que se está processando uma renovação para melhor e para o progresso de nossa cultura, o que não é verdade. É verdade que existem algumas exceções, como é o caso de Antônio Callado, com seu *Quarup*, ou Ariano Suassuna, com sua obra calcada no folclore nordestino, José J. Veiga, realizando uma obra de características marcadamente brasileiras e poucos outros.

Já Veiga, por seu lado, via em seu colega quase um mestre. Sempre falava muito bem dele. Na I Semana de Cultura José J. Veiga, em Corumbá de Goiás, em 1996, Bernardo estava presente. Em sua fala, Veiga, que era o homenageado do encontro, fez rasgados elogios ao colega. A simples presença de um e a fala do outro diziam tudo. Mas a troca de agrados foi mais além.

Em uma de suas falas, na ocasião, Veiga agradeceu a presença e falou longamente sobre a obra do outro, sempre tratado por "meu querido amigo".

Bernardo, por seu lado, teceu loas ao colega já na sessão de abertura do evento:

> É um grande heroísmo vocês fazerem uma festa de uma semana, porque nós estamos muito afastados da cultura. E ainda mais homenageando José J. Veiga, esse grande amigo, meu querido conterrâneo, querido contemporâneo, que talvez nós não saibamos corresponder ao seu tamanho. Ele é hoje um dos maiores escritores do mundo e é um homem simples, moderno, que chegou a essa culminância pela sua própria inteligência, seu próprio talento.

No ano seguinte, o homenageado da II Semana de Cultura da cidade foi Bernardo. Mas Bernardo não se fez presente, pois faleceu às vésperas do evento. Em verdade, a programação de abertura foi uma missa de 7.º dia de sua morte.

Bate-boca

É bem verdade que, na mesma época, houve um episódio que de certa forma desfaz esse sentimento contido na fala de Bernardo. Foi um embate público, via imprensa, entre ele e o pesquisador Bariani Ortencio, a respeito de quem era o melhor escritor de Goiás, em um episódio que muitos atribuem ao jeito com que o repórter do jornal colocou a questão.

Antes de entrar no evento em si, porém, valem umas palavras sobre Bariani, pra que fique mais clara a contenda travada. Oito anos mais novo que Bernardo, Waldomiro Bariani Ortencio nasceu em Igarapava (SP), mas foi pra

Goiânia aos catorze anos e lá se estabeleceu, primeiro como jogador de futebol, depois como um dos mais produtivos intelectuais do estado.

Escreveu dezenas de livros e compôs mais de setenta músicas gravadas por artistas de renome nacional. Sua presença maior no cenário cultural brasileiro talvez esteja em suas obras de pesquisa, todas volumosas, que revelam grande fôlego ao dissecar a vida humana nessa região do país. *Cozinha goiana*, lançado em 1967, com reedições sucessivas desde então, é muito mais que um livro de receitas. É um verdadeiro tratado antropológico que revela um povo por meio de sua variada comida.

No mesmo rumo, ele editou pela primeira vez em 1994 o *Medicina popular do Centro-Oeste*, que navega pelas crendices e sabedorias que vêm do indígena nativo, do caboclo, do escravo e de outros imigrantes. Ou o premiado *Cartilha do folclore brasileiro*, de 1997. E coroou tudo como uma edição nova, reformatada, do clássico *Dicionário do Brasil Central*, editado pela primeira vez em 1984.

Impossível, também, é citar alguém que tenha se dedicado às artes — literatura e música em especial — em terras goianas, nas últimas sete décadas, e não haja cruzado com Bariani em algum momento, quase sempre pra lhe pedir algo. E ninguém saía de mãos abanando, fosse qual fosse sua orientação política ou ideológica. Era o caso de Bernardo.

Um exemplo, do qual já falamos, é o do romance *São Miguel e almas*, que gerou rebuliço na família de Bernardo e que graças à paciência de Bariani pôde se transformar no livro de contos *Veranico de janeiro*.

No início de 2015, aos noventa e dois anos, Bariani escreveu um novo livro, no qual inclui um texto com o título "Polêmica com Bernardo Élis", que vale a pena reproduzir na íntegra, com a devida autorização do autor, pela quantidade de informações que passa:

> Bernardo Élis me surpreendeu como mau-caráter. Fomos amigos e compadres por mais de quarenta anos. Toda vez que ele brigava com a sua mulher, a Violeta Metran, e isso foi por onze vezes, ele ia para o Hotel Marmo, na Avenida Anhanguera, e deixava as "suas coisas" aqui em casa. No final, eu conseguia levá-lo de volta para casa. Vou resumir, que a história é muito comprida. Não havia viagem em missão cultural, inclusive folclóricas, que ele não ia comigo, na minha kombi. Quase sempre a Regina Lacerda estava conosco também. Ele é padrinho do meu filho Luiz Antônio, ambos aniversariando no mesmo dia, 15 de novembro, da Proclamação da República. Um dia, dei uma entrevista ao jornal *Diário da Manhã*, quando o repórter me perguntou quem era o principal escritor de Goiás. Respondi, com muita convicção, que era José J. (Jacinto) Veiga, porque ele é traduzido em dezoito países.
>
> — Então, não é o Bernardo Élis?
>
> — O Bernardo tem apenas um conto traduzido para o alemão, que é "Inhola dos Anjos e a cheia do Corumbá". Ambos são de Corumbá de Goiás, da geração de 1915, e foram, na década de 1930, ao Rio de Janeiro com a intenção de ficar. O Bernardo se apavorou por ler nos jornais que todo dia morria um

ou dois de tuberculose no Rio de Janeiro. E voltou, incontinenti, para Corumbá. Depois foi secretário da prefeitura de Goiânia, com o prefeito Venerando de Freitas Borges. O José J. Veiga ficou, foi redator da revista *Seleções*, depois foi para a Inglaterra e se tornou correspondente de guerra na BBC de Londres. Voltou e se incorporou à Fundação Getúlio Vargas. Nunca quis pertencer a nenhuma academia, nem a goiana e muito menos a brasileira.

Pois bem, o Bernardo escreveu no *Diário da Manhã*, e na maior falta de humildade, desceu a lenha em mim, dizendo que eu falei pelas tripas, que eu muito bem sei que o melhor escritor de Goiás é ele. Neste dia eu e a Leuza estávamos indo de ônibus para Natal-RN, onde reside minha filha Maria Lucy, e foi no ônibus que eu li a sua heresia e... covardia, em se tratando de mim, tido como seu amigo íntimo e, além do mais, compadre.

Chegando em Natal, telefonei a ele:

— Ô Bernardo, que negócio foi esse que você escreveu no jornal?

— É porque você sabe bem quem é o melhor escritor de Goiás!

— Eu não disse o "melhor", mas o principal, o mais conhecido lá fora... que tem os seus livros traduzidos em várias línguas... E você só tem aquele conto em alemão, assim mesmo porque a Alice Spíndola ajudou na tradução...

— Bem, então você me desculpa...

— Você vai se retratar no mesmo jornal?

— Não, não vou me retratar em jornal nenhum!

Assim, eu nunca mais falei com ele. Chegando aqui, escrevi à mão umas cem páginas de caderno sobre o assunto, mas a Leuza não me deixou publicar. Está no meio da minha "fortuna crítica" em uma das 46 pastas, cronometradas.

O Miguel Jorge é um dos que não aceitam dizer que há escritor em Goiás, um melhor do que o outro. E eu digo que não adianta a gente falar que é grande, que é isso, que é aquilo, porque quem vai dizer, no final, é a obra que a gente produziu.

Bernardo faleceu logo em seguida, e José J. Veiga, dois anos depois.

Notas:

1. Costa e Silva, Álvaro. Jornal *Folha de S.Paulo*, São Paulo/SP, 31/1/2015.
2. Castello, José Aderaldo. *Melhores contos — J.J. Veiga*, 3., Global Editora, São Paulo/SP, 2000.
3. Élis, Bernardo. Registros do Instituo Histórico de Corumbá.

Carmelita

Chegamos, uma amiga e eu, por volta das 11h30, procedentes de Goiânia, com alguma dificuldade pra reencontrar a casa. Havia um casal de caseiros novatos no serviço, e novos de idade, e uma criança no colo da moça. Dava pra contar oito cachorros, dois dos quais amarrados, com pinta de buldogues, embora a dona da casa dissesse que eram todos mestiços.

Uma laranjeira lotada de frutas pequenas, ainda verdes, e muitas flores ladeavam o casarão de formato antigo, bem goiano, com dois pavimentos. Janelas e portas de madeira de tábuas corridas e batentes de vigas, pintadas de azul. A casa é branca e, apesar do estilo colonial, dava indicações de ter sido construída apenas uns vinte anos antes.

Maria Carmelita Fleury Curado, viúva de Bernardo Élis, apareceu à porta e nos chamou pra entrar, pedindo desculpas por estar na faxina. Entramos e nos sentamos em uma antessala bem espaçosa, com sofás feitos de madeira, que a anfitriã disse haverem sido desenhados por ela mesma. São móveis de madeira justaposta, sem pregos nem parafusos. Muito vistosos, aliás.

Os móveis abrigam peças de madeira, algumas são esculturas da dona da casa. E as paredes são tomadas por quadros de tinta sobre tela, também de autoria dela própria. Em um primeiro relance, não parecem tão esplendorosos, mas denotam boa técnica e imaginação. Ela mostrou alguns desses quadros, uns baseados em obras do finado marido, outros com temática mística.

Tudo contrasta com um forro de tabuinhas pintadas de azul, num pé-direito bem alto, pois naquela parte da casa não há dois pavimentos. A sala menor dá acesso à outra, maior, e a uma cozinha espaçosa, repleta de panelas de ferro ou alumínio e outros utensílios dependurados ao estilo roceiro.

Tudo ali lembra Bernardo. Carmelita reforça essa sensação ao se referir ao falecido companheiro a todo instante, como se ele estivesse rondando pela casa. Diz pressentir sua presença dia e noite. Ouve muitos ruídos, até mesmo os passos cadenciados e a voz pausada, características dele. E justifica dizendo-se adepta do espiritismo.

Nisso, ela é bastante eclética. É adepta do kardecismo, mas usa símbolos católicos em sua arte, em especial nos quadros e esculturas. E até escreveu e publicou a novela *O pároco*, cujo personagem central é um padre católico que vive às voltas com os dogmas da Igreja quanto à castidade e outros pecados.[1]

Mas afirma ser também evangélica praticante, seguidora da Igreja Universal do Reino de Deus, do pastor Edir Macedo. O som ambiente em sua casa, nas tantas vezes que lá estive depois do primeiro encontro, é sempre alguma pregação evangélica, em volume amplificado por duas caixas de som.

Talvez tanta fé assim se deva aos dezesseis anos que conviveu com Bernardo, um ateu convicto, após uma infância e adolescência quase monástica, como a dela. E ele execrava o tal bispo-empresário dessa agremiação religiosa que ela passou a seguir após a morte do companheiro.

Vida na roça

Carmelita fala bastante, engatando um assunto em outros, mas em muitos momentos demonstra lucidez e boa memória. Desde logo, contudo, dá pra perceber que é preciso ter certo cuidado com suas informações, sobretudo quanto a referências geográficas. Ela faz certas confusões, misturando nomes de rios, bacias fluviais e topônimos em geral, mesmo os mais próximos.

Quanto à localização da casa onde passou a morar e onde dividiu com Bernardo fragmentos dos últimos anos da vida dele, porém, ela não se engana.

A estrada pra uma rodovia estadual asfaltada, está no meio do caminho entre as cidades de Corumbá de Goiás e Pirenópolis. O acesso se dá pela primeira, mas a propriedade já está localizada na segunda, em um caminho de terra que vai bater nos morros da serra dos Corumbás, e a casa fica em um local elevado, com uma bela vista de um vale, ou vão, como se diz por lá.

São oitenta hectares, nada grande para os padrões goianos, mas que dão bem pra ela criar porcos, galinhas e quarenta e quatro vacas leiteiras, holandesas, que produzem leite do tipo A, muito demandado no mercado. Além do pasto e da reserva florestal, uma parte da área serve ao plantio de feijão, batata e uma horta bem sortida.

É de se imaginar que Carmelita retire dali uma bela renda mensal que lhe dê uma qualidade de vida bem razoável. Mas engana-se quem pensa assim. Meio atabalhoada, com muitos afazeres sobrepostos e dificuldades na contabilidade, em suas mãos a fazendola acaba sendo um sumidouro de dinheiro. Só a ração balanceada para alimentar a matilha de cães já faz um bom estrago nas contas. O caixa nunca fecha.

Mateus Amâncio da Luz é um rapaz da cidade de Corumbá, técnico agrícola por formação, que resolveu aceitar o convite de Carmelita pra ser uma espécie de capataz da propriedade dela. Ele também é pequeno proprietário rural e produz principalmente leite, como ela, e achou que seria uma forma de ajudar a vizinha e auferir alguma remuneração por isso.

No entanto, em pouco tempo ele, desistiu da empreitada e explica por quê:[2]

> É difícil trabalhar com dona Carmelita, porque ela não tem uma rotina bem estabelecida, joga muitas atribuições sobre quem estiver por perto e não sabe cobrar resultados. Nos acertos contábeis, então, é uma balbúrdia completa.

Em verdade, porém, ela é uma mulher de rígida formação, filha de família muito bem de vida em Goiás, que se tornou freira, da congregação dominicana, e exerceu o celibato de 1954 a 1972. Provém da linhagem do poderoso coronel João Fleury dos Campos Curado, que marcou época no município de Pirenópolis, onde seu pai nasceu e se criou, até se mudar pra Cidade de Goiás, então capital do estado.

Ela nasceu e cresceu no Palácio do Bispo, uma pomposa mansão construída por seu avô em 1883, posteriormente cedida à Igreja Católica e hoje sede do Instituto do Patrimônio Histórico e Artístico Nacional (IPHAN) naquela histórica cidade.

Mas envolveu-se com Bernardo. Ele havia se separado de Violeta Metran, sua primeira mulher, e se engraçara com ela, vinte e dois anos mais nova e vivendo em um mundo completamente diferente.

A vida com Violeta, embora ela tenha dado a ele os três filhos e uma aparente estabilidade emocional, foi sempre bastante tumultuada e conflituosa. Ela era "a filha mais bonita" de Kalil Metran, um rico comerciante de Morrinhos, cidade localizada ao sul de Goiânia, às margens do rio Corumbá. Havia cursado o segundo grau e não tinha uma profissão definida, embora escrevesse versos e fosse apresentada como poetisa.

O detalhe "mais bonita" é relevante, porque, ao fazer seu testamento, o velho Metran deixou Violeta de fora, o que causou estranheza na família. Bernardo foi tomar satisfações, segundo nos contou o pesquisador Bariani Ortencio, que era da intimidade da família. Ao ser indagado sobre por que havia deserdado essa filha, o pai deu uma bela gargalhada, bateu nas costas do genro e explicou:

— Você já foi premiado com a mais bonita, agora deixe os outros desfrutarem das mais endinheiradas.

De todo jeito, o pai acabou deixando a ela uma parcela de seus bens. O fato de ela ser bela e mais ou menos rica, porém, não significava que fosse uma mulher elegante, doce, como relembra Bariani:

> Com muita frequência ela se enfezava com o Bernardo e quebrava o que estivesse pela frente, jogando relógios nos espelhos, pratos e copos nas paredes e, é claro, atacava o marido fisicamente. Ele pegava algumas coisas e colocava em uma mala que servia para isso mesmo, e corria aqui pra minha casa. E ficava por aqui, mesmo que muitas vezes dormindo em hotéis da cidade.

O casamento com Violeta e mesmo o convívio com os filhos sempre significaram para Bernardo uma espécie de camisa de força, como ele dizia. Em uma das vezes que tratou do assunto, ele escreveu:[3]

> No casamento, sempre conservei aberta a possibilidade de separação. Talvez fosse o sentimento de culpa, mas entendia que não estava tudo certo, que a situação do casamento era uma farsa que desmoronaria a qualquer instante.

Sobre isso, ele escreveu muitas vezes, em muitos locais, de modo esparso em cartas e notas, textos esses que estavam afixados nas paredes da casa de Carmelita, nas vezes que lá estive.

Foi Carmelita quem teve a ideia de comprar as terras pra fazer um local agradável onde morar. Amigos contam que ela não teve apenas a ideia, mas também o caixa pra bancar a compra da propriedade, já que, na época, como de costume, Bernardo passava por algumas dificuldades financeiras.

O fato é que ela contratou gente especializada e construiu a casa pensando em seu amado. O quarto do casal e o escritório de trabalho dele ficaram na parte superior, com privilegiadas vistas gerais para os ermos daquelas partes de Goiás. A cozinha, demais cômodos e as varandas, segundo ela, foram também modelados ao gosto dele, Bernardo.

De roçados e ordenha de vacas ele não queria nem saber. Mas manter uma atividade produtiva na propriedade era, pra ela, meio que uma obrigação. Afinal, aprendera desde criança que uma fazenda ou uma chácara tem que ter lavoura e animais de criação. Isso, embora seu sonho fosse produzir quadros, esculturas e alguns textos que lhe viessem à cabeça.

Puro amor

Quando Carmelita e Bernardo se conheceram, em verdade, parecia nada haver entre eles em comum, a não ser o fato de serem primos de primeiro grau. As mães de ambos eram irmãs, mas casamentos entre parentes é algo normal em grandes famílias tradicionais goianas.

Entretanto, eram pessoas diferentes, de faixas etárias distantes, e, ademais, ele andava às voltas com seus grilos, com supostas angústias da vida solitária. De todo jeito, por ingerência de alguns amigos em comum, passaram a se encontrar. Ela conta:[4]

> Havia duas pessoas que resolveram ajudá-lo, porque ele tinha um temperamento deprimido. A gente se encontrou algumas vezes, mas não tinha nada, eu nem imaginava nada. Foi quando ele chegou, um dia, sem mais nem menos, e me pediu em casamento. Eu levei um susto. E, por sinal, é uma história cômica, porque era uma sexta-feira, aquele sol de rachar, no verão do mês de abril...

Ela compara o encontro àquelas histórias inventadas por algum escritor bem romântico, quase meloso. E diz que gostava daquele homem por seu jeito quieto, gentil e elegante no trato com as pessoas — mas o admirava por sua cultura. Nunca sonharia com nada além disso. Diante da proposta, assim de supetão, porém, a admiração e o respeito se transformaram em profundo amor, como que em um passe de mágica.

Esse era, na realidade, o primeiro caso amoroso de Maria Carmelita. Ela havia deixado o convento oito anos antes e fora estudar Belas-Artes nos Estados Unidos, com bolsa do governo de Goiás concedida por decisão direta do então governador Leonino Caiado. Sua saída da clausura foi tumultuada, culminando com um vigoroso incêndio por ela provocado.

De volta ao Brasil, foi morar com sua mãe e pretendia desenvolver dotes artísticos que havia adquirido como religiosa.

É bem verdade que a atividade artística não foi, nem de longe, sua marca nas duas décadas que passou no convento. Ao contrário, desde muito jovem, ela se tornou conhecida como irmã despachada, capaz de impor ordem e disciplina em suas atividades e de realizar obras que normalmente não são esperadas de uma freira rezadora, paramentada com rigor monástico.

Aliás, segundo ela, essa foi uma das razões que a fizeram largar a vida religiosa. Tanta estrada depois, ela indaga:

> Onde já se viu as irmãs indo a salão de beleza para arrumar o cabelo, usando meias-calças transparentes e anáguas cheias de rendinhas e floreios?

Antes de ingressar no internato do Colégio Nossa Senhora das Dores, da Congregação Dominicana de Uberaba (MG), aos dezoito anos, Carmelita já havia passado por rígida formação religiosa em Goiás. Chegava, pois, já na condição de religiosa, conhecendo a teologia católica e se virando bem em outras línguas além do português (latim e francês), importantes predicados para aquele ofício, na época.

Essa formação era explicável pela penetração daqueles religiosos nessa parte do Brasil. Embora criada na Espanha pelo padre Domingos de Gusmão (1170 a 1221), a congregação se espalhou pelo mundo a partir da França, de onde vieram as primeiras freiras para Uberaba, em 1885.

Logo em seguida foram implantados núcleos dessas irmãs em Conceição do Araguaia, no sul do Pará, Porto Nacional (hoje Tocantins) e Vila Boa de Goiás, onde nasceu Carmelita. Mas era em Uberaba sua base central. Por isso, aquele internato era disputado por famílias endinheiradas que pretendiam fazer de suas filhas mães exemplares, nos seus padrões, além de formar freiras.

Mas era para lá, também, que iam meninas tidas como "difíceis", no dizer daquela gente, que mereciam algum tratamento de choque para entrarem na linha. Uma dessas turmas foi colocada sob a supervisão de Carmelita, que implantou um padrão pedagógico — ou correcional — que, segundo ela, fez grande sucesso dentro e fora da comunidade religiosa.

O fato é que, quatro anos após ingressar no convento, ela foi transferida ao mosteiro central, na França, de modo a prosseguir seus estudos e tomar conta de meninas problemáticas de lá. A essa altura, aqui no Brasil, seu pai deixava o cargo de prefeito (nomeado) de Cidade de Goiás e se mudava para a nova capital, Goiânia, onde buscaria nova vida e usufruiria de sua fortuna.

De volta ao Brasil, já se faziam sentir as propostas inovadoras do Concílio Vaticano II, iniciado em outubro de 1962, e a Igreja Católica passava por reformas. Eram mudanças em sua ritualística, com ênfase no uso das línguas nacionais em vez do latim e na aproximação com as comunidades locais, o que levou os dominicanos a rincões ainda mais remotos do país.

A ideia era deslocar grupos de duas ou três missionárias e/ou missionários para pregações e trabalhos assistenciais em locais recônditos onde houvesse seres humanos isolados. Com isso, Maria Carmelita foi morar com um grupo indígena da etnia caiapó no Mato Grosso. Lá passou alguns meses, mas foi logo transferida pra Goiânia, onde estava sendo instalada a Universidade Católica.

Lá, ela se meteu em obras de edificação das instalações físicas da nova instituição de ensino, competindo com os mestres de obras profissionais contratados pra essa função. E se avolumaram conflitos na congregação, que culminaram com sua saída, no início da década de 1970. Ao deixar o convento, irritada com o desfecho dado ao seu celibato, ela ateou fogo no dormitório.

Seu encontro com Bernardo, oito anos depois, mudou sua vida e revelou facetas recônditas da personalidade do escritor.

Notas:

1. Carmelita, Maria. *O pároco – da sublimação ao suicídio*, Editora UCG/R&F Editora, Goiânia/GO, 2006.
2. Amâncio de Brito, Mateus. Entrevista ao autor, junho 2014.
3. Élis, Bernardo. *A vida são as sobras*, Editora Kelps, Goiânia/GO, 2000.
4. Fleury Curado, Maria Carmelita. Entrevista ao autor.

LIVROS PUBLICADOS

(CRONOLOGIA)

Título	Gênero/Ano	Editora/Local	Observações
ERMOS E GERAIS	Contos – 1944	Secult-Goiânia e ICBC-Goiânia / GO	
PRIMEIRA CHUVA	Poesias – 1953	Escola Técnica Industrial – Goiânia / GO	
O TRONCO	Romance – 1955	Martins Fontes – São Paulo/SP	2ª edição em 1967, pela José Olympio, Rio de Janeiro
CAMINHOS E DESCAMINHOS	Contos – 1965	Edição do autor – Goiânia / GO	
VERANICO DE JANEIRO	Contos – 1966	José Olympio – Rio de Janeiro/RJ	Várias apresentações de peso
MARECHAL XAVIER CURADO	Biografia – 1972	Comissão Sesqui de GO – Goiânia / GO	Foi concurso – Prêmio em dinheiro + edição
SELETA MENDONÇA TELES	Contos – 1974	Global – São Paulo/SP	
CAMINHOS DOS GERAIS	Contos – 1975	Civilização – São Paulo/SP	

Título	Gênero/Ano	Editora/Local	Observações
ANDRÉ LOUCO	Contos – 1978	José Olympio – Rio de Janeiro/RJ	
VILA BOA DE GOIÁS	Ensaio – 1979	Embratur – Rio de Janeiro/RJ - São Paulo/SP	
APENAS UM VIOLÃO	Contos – 1984	Nova Fronteira – Rio de Janeiro/RJ	
DEZ CONTOS ESCOLHIDOS	Contos – 1985	Horizonte – Brasília/DF	
JECA JICA – JICA JECA	Crônicas – 1986	Cultura Goiana – Goiânia/GO	
OBRAS REUNIDAS	Coletânea – 5 volumes – 1987	José Olympio – Rio de Janeiro/RJ	São as obras completas até aquela data
CHEGOU O GOVERNADOR	Romance – 1987	José Olympio – Rio de Janeiro/RJ	A editora considera essa a 1ª edição
ONDE CANTA A SERIEMA	Contos – 1997	Verano Editora – Brasília /DF	
A TERRA E AS CARABINAS	Novela – 2005	R&F Editora – Goiânia/GO	Mendonça Teles classifica como romance

GERAÇÃO EDITORIAL

Rua João Pereira, 81 – Lapa
CEP: 05074-070 – São Paulo – SP
Telefone: (+ 55 11) 3256-4444
E-mail: geracaoeditorial@geracaoeditorial.com.br